KU-562-691

INCANDESCENCES

Du même auteur

Un pied au paradis
Éditions du Masque, 2009
Le Livre de Poche, 2011

Serena
Éditions du Masque, 2011
Le Livre de Poche, 2012

Le Monde à l'endroit
Éditions du Seuil, 2012
et « Points » nº P3101

Une terre d'ombre
Éditions du Seuil, 2014
et « Points » nº P4025

RON RASH

INCANDESCENCES

nouvelles

TRADUIT DE L'ANGLAIS (ÉTATS-UNIS)
PAR ISABELLE REINHAREZ

ÉDITIONS DU SEUIL
25, bd Romain-Rolland, Paris XIVe

Ce livre est édité par Marie-Caroline Aubert

Titre original : *Burning Bright*
Éditeur original : Ecco (HarperCollins)
© 2010, Ron Rash
ISBN original : 978-0-06-180412-0

ISBN 978-2-02-110983-2

www.seuil.com

À Sue Holder Rash

I

Les temps difficiles

Jacob se tenait à l'entrée de la grange, il observait Edna qui sortait du poulailler. Elle avait les lèvres pincées, c'était donc qu'on leur avait encore pris des œufs. Il leva les yeux vers la ligne de crête et jugea à vue de nez qu'il était huit heures. À Boone la matinée devait être déjà bien avancée, mais ici la lumière était encore mouchetée d'ombre et la rosée mouillait ses brodequins. « Ce vallon-là est si bougrement sombre qu'y faut y faire entrer la lumière au pied-de-biche », avait coutume de dire son père.

Edna montra d'un signe de tête le seau à œufs qu'elle avait à la main.

« Rien sous la Bantam. Ça fait quatre jours de suite.

– Peut-être que le vieux coq l'est plus trop câlin avec elle. »

Il attendit de la voir sourire. Lorsqu'ils avaient commencé à se fréquenter, des années auparavant, c'était le sourire d'Edna qui l'avait le plus charmé. Son visage tout entier rayonnait, comme si la courbe de ses lèvres déroulait une vague lumineuse de la bouche au front.

« Vas-y, plaisante donc, lança-t-elle, mais vu le peu d'argent qu'on a, ça compte. Et ça compte peut-être au point que tu auras ou non cinq cents à gaspiller pour ton journal.

– Y en a beaucoup qui sont plus à plaindre. Jette un coup d'œil en haut du vallon et tu verras que je dis vrai.

– On peut encore finir comme Hartley. » Edna regarda au-delà de Jacob, à l'endroit où la route se terminait et où commençait le sentier de débardage laissé par l'entreprise d'exploitation forestière. « Ça doit être son galeux de chien qui nous vole. Ce cabot a une tête de gobeur d'œufs. Il passe son temps à rôder dans le coin.

– Tu n'en sais rien. Je continue à croire qu'un chien laisserait des traces sur la paille. J'en ai jamais vu un qui fasse autrement.

– Quoi d'autre ne prendrait que quelques œufs ? Tu l'as dit toi-même, un renard ou une belette auraient tué les poulets.

– J'vais aller y voir », dit Jacob, sachant qu'elle se tracasserait pour les œufs perdus toute la journée.

Même si chaque poule pondait trois œufs par nuit au cours des prochains mois, ça n'y changerait rien. Edna aurait toujours le sentiment d'une perte que rien ne viendrait compenser. Jacob tâcha d'être généreux, se souvint qu'elle n'avait pas toujours été comme ça. Pas avant que la banque leur prenne le pick-up et presque tout leur bétail. Ils n'avaient pas tout perdu comme certains, mais ils en avaient perdu pas mal. Edna semblait toujours sur le qui-vive lorsqu'elle entendait un véhicule remonter le chemin de terre, comme si le banquier et le shérif venaient leur prendre le reste.

Edna emporta les œufs à la cabane garde-manger tandis que Jacob traversait la cour et entrait dans le poulailler en ciment. L'odeur de fiente alourdissait l'air. Le coq était déjà dehors, pourtant les poules caquetaient en sourdine dans leurs pondoirs.

Jacob souleva la Bantam et la posa par terre. Sur la paille il n'y avait ni bribes de coquille, ni albumen, ni bavure de jaune d'œuf. Jacob savait qu'il pouvait s'agir d'un nuisible à deux pattes, mais les temps avaient beau être durs il n'avait jamais vu personne voler à Goshen Cove, et surtout pas Hartley, le plus pauvre de tous. D'ailleurs, qui donc se contenterait de deux ou trois œufs quand il y en avait deux douzaines de plus ? Et des œufs de la Bantam, par-dessus le marché, qui étaient plus petits que ceux qu'on trouvait sous les Rhode Island et les Leghorn. Là-bas dans la grange, Jacob entendit la Guernesey pousser un mugissement pressant. Il savait qu'elle attendait déjà à côté du tabouret à traire.

En sortant du poulailler, il vit les Hartley descendre le sentier de débardage. Ils parcouraient à pied deux fois par semaine les trois kilomètres qui les séparaient de Boone, chacun d'eux, même l'enfant, chargé de feuilles de galax. Jacob les regarda s'engager sur le chemin, des nuages de poussière grise s'élevant autour de leurs pieds nus. Hartley portait quatre ballots en toile de jute bourrés de galax. Sa femme deux, et l'enfant une. Avec leurs vêtements en loques pendant sur leurs corps efflanqués, on aurait cru des épouvantails en route pour un nouveau champ de maïs, tirant leurs biens derrière eux. Le chien était sur leurs talons, aussi squelettique que ceux qu'il suivait. Pour Hartley, les feuilles de galax étaient ce qui se rapprochait le plus d'une récolte, car sa terre n'était que cailloux et escarpements. « On ne pourrait même pas faire pousser un ongle de pied sur la terre de Hartley », avait dit un jour Bascombe Lindsey. C'était sans importance tant que la scierie avait tourné, mais lorsqu'elle avait fermé ses portes les Hartley n'avaient plus eu qu'une vieille vache à lait au dos creux pour les nourrir, ça et le galax, qui leur valait des échanges de quelques dizaines de cents de marchandises à l'épicerie-bazar Mast. Jacob savait, grâce aux journaux du dimanche qu'il achetait, que les temps étaient durs partout. À New York, des riches avaient perdu tout leur argent et sauté du haut des immeubles. Des hommes allaient de ville en ville dans des wagons de marchandises en quémandant du travail. Mais il était difficile de croire qu'aucun d'eux était plus démuni encore que Hartley et sa famille.

Quand celui-ci aperçut Jacob, il fit un signe de tête mais ne ralentit pas l'allure. Ils n'étaient ni amis ni ennemis – voisins dans ce sens que Jacob et Edna étaient les personnes les plus proches dans le vallon, même si plus proches signifiait presque un kilomètre. Hartley était arrivé du comté de Swain huit ans plus tôt pour travailler à la scierie. L'enfant était encore un bébé, et l'épouse avait alors plusieurs dizaines d'années de moins que la vieille ratatinée qui marchait maintenant à côté de la fille. Ils seraient passés sans autre marque de reconnaissance, sauf qu'Edna sortit sur la galerie.

« Votre chien, là, c'est-y un gobeur d'œufs ? » demanda-t-elle à Hartley.

Elle ne cherchait peut-être pas à se montrer accusatrice, mais ses paroles l'étaient.

Hartley s'arrêta au milieu de la route et se tourna vers la galerie. Un autre que lui aurait posé les ballots, mais il n'en fit rien. Il les garda à la main comme s'il les soupesait.

« Pourquoi donc que vous posez la question ? »

Ces mots furent prononcés sans colère ni défiance. Jacob fut frappé de constater que même la voix de cet homme avait été usée au point d'en avoir perdu tout relief.

« Y a quelque chose qu'est entré dans notre poulailler et qui nous a volés, dit Edna. Rien que les œufs, c'est donc ni un renard ni une belette.

– Alors pour vous c'est mon chien. »

Edna ne répondit pas et Hartley posa ses ballots. Il tira un grand canif de sa salopette en lambeaux. À mi-voix il appela le chien, qui se faufila jusqu'à lui. Hartley mit un genou en terre et referma sa main gauche sur le cou de l'animal tout en lui appliquant la lame contre la gorge. La fille et l'épouse se tenaient parfaitement immobiles, le visage aussi lisse que de la pâte à pain.

« Je crois pas que c'est votre chien qui vole les œufs, intervint Jacob.

– Mais vous en êtes pas sûr. Ça se pourrait », dit Hartley.

Le chien leva la tête alors que l'index de Hartley lui frictionnait la base du crâne.

Avant que Jacob n'ait eu le temps de répondre, la lame passa vivement sur la trachée du chien. L'animal n'aboya pas, ne grogna pas. Il s'affaissa simplement entre les mains serrées de Hartley. Du sang obscurcit la route.

« Maintenant vous en serez sûr », conclut Hartley tout en se relevant.

Il souleva la bête par la peau du cou, traversa la route et l'étendit dans les mauvaises herbes.

« Je le prendrai ce soir, au retour. »

Il ramassa ses ballots et se remit à marcher, son épouse et sa fille le suivirent.

« Pourquoi a-t-il fallu que tu lui dises quelque chose ? » remarqua Jacob quand la famille eut disparu au bout de la route.

Il regardait fixement l'endroit dans les mauvaises herbes où les mouches et les petites guêpes maçonnes commençaient à se rassembler.

« Comment savoir qu'il ferait un truc pareil ? dit Edna.

– Tu sais bien que c'est un orgueilleux. »

Jacob laissa ces paroles flotter dans l'air. En janvier, quand deux pieds de neige avaient bloqué presque tout le monde chez soi, il avait remonté à cheval le sentier de débardage, une épaule de porc salée attachée à la selle. « On pourrait bientôt nous-mêmes en avoir besoin, de cette viande », avait remarqué Edna, mais il était parti quand même. Quand il était arrivé à la petite maison en rondins, il avait trouvé les membres de la famille mangeant autour de la table en planches. Les bols en bois devant eux contenaient un épais liquide bosselé de quelques petits bouts de lard. Le seau à lait suspendu au-dessus du feu était rempli du même gruau de couleur grise. Jacob avait posé l'épaule de porc sur la table. La viande dégageait une forte odeur de fumée de bois, et la femme et l'enfant déglutissaient à chaque seconde pour cacher qu'elles salivaient. « J'ai pas d'argent pour l'acheter, avait dit Hartley. Alors merci de reprendre votre viande et de vous en aller. » Jacob était parti, mais après avoir refermé la porte il avait déposé le morceau de porc sur la galerie. Le lendemain matin, il avait trouvé la viande sur son seuil.

Jacob laissa errer son regard au-delà du chien de Hartley, de l'autre côté de la route, sur l'arpent de maïs où il travaillerait jusqu'à l'heure du souper. Il n'avait pas encore biné un seul rang mais se sentait déjà rompu de fatigue.

« Je voulais pas que ce chien se fasse tuer, dit Edna. C'était pas mon idée.

– Comme c'était pas ton idée que Joel et Mary s'en aillent et ne remettent plus jamais les pieds ici. Mais c'est bien ce qui est arrivé, pas vrai ? »

Il tourna les talons et partit au bûcher prendre sa binette.

Le lendemain matin, le chien n'était plus sur le bord de la route et il manquait encore des œufs. C'était samedi, Jacob descendit à cheval à Boone, pas simplement pour chercher son journal mais pour parler aux fermiers âgés qui se réunissaient à l'épicerie-bazar Mast. Sur son cheval, il repensa au matin, six années plus tôt, où Joel avait laissé tomber par terre son bol de porridge. Étourdiment, mais les gamins de douze ans sont étourdis. C'était ça aussi, être un enfant. Edna avait forcé le garçon à manger son porridge à même le sol avec sa cuillère. « Ne le fais pas », avait lancé Mary à son petit frère. Mais il l'avait fait, en gémissant de bout en bout. Mary, qui avait seize ans, s'était enfuie quinze jours plus tard. *Je ne reviendrai jamais, même pas en passant*, annonçait un mot laissé sur la table de la cuisine. Mary avait tenu parole.

En entrant à cheval dans Boone, Jacob aperçut leur pick-up qui avait été saisi par la caisse d'épargne garé près du tribunal. C'était un véhicule fait pour transporter les récoltes en ville, en rapporter des blocs de sel, de l'engrais et du fil de fer barbelé, mais il avait pensé que pas un cultivateur n'aurait de quoi l'acheter à la vente aux enchères. Peut-être un commerçant ou un employé du comté, se dit-il, quelqu'un qui se servait encore d'un portefeuille plutôt que du porte-monnaie comme celui dont il sortit alors une pièce de cinq cents, après avoir attaché son cheval au poteau.

Jacob poussa la porte du magasin. Il fit un signe de tête aux vieux et posa sa pièce sur le comptoir. Erwin Mast lui tendit le *Raleigh News* du dimanche précédent.

« Je suppose qu'y a pas de courrier ? demanda Jacob.

– Non, rien cette semaine », répondit Erwin, qui aurait pu ajouter « pas plus que le mois dernier ni même l'année dernière ».

Joel était dans la marine, en station quelque part dans le Pacifique. Mary vivait avec son mari et leur enfant dans une ferme du comté de Haywood, à une centaine de kilomètres de là, mais elle aurait pu être en Californie, pour ce que Jacob et Edna communiquaient avec elle.

Jacob s'attarda un instant à côté du comptoir. Quand les vieux marquèrent une pause dans leur conversation, il leur parla des œufs.

« Et t'es sûr que c'est pas un chien ? demanda Sterling Watts.

– Oui. Y avait pas une éclaboussure ni un bout de coquille sur la paille.

– Les rats mangent des œufs, suggéra Erwin de derrière son comptoir.

– Y resterait quand même quelque chose, dit Bascombe Lindsey.

– Y a qu'un seul truc que ça peut être, lança Sterling Watts d'un ton péremptoire.

– Et c'est quoi ? demanda Jacob.

– Un gros serpent ratier jaune. Ils t'avalent deux ou trois œufs tout rond sans en laisser tomber une goutte.

– À ce qu'on m'a dit, reconnut Bascombe. Jamais vu ça, mais c'est ce qu'on m'a dit.

– Moi, y en a un qu'est entré dans mon poulailler, reprit Sterling. Et y m'a fallu pas loin d'un mois pour piger comment attraper cette saloperie.

– Comment ça ? demanda Jacob.

– J'suis allé à la pêche. »

Ce soir-là, Jacob bina son maïs jusqu'à la nuit. Il dîna, puis partit au bûcher où il dénicha un hameçon. Il y noua trois mètres de ligne et s'en fut au poulailler. Il y avait un œuf sous la Bantam. Jacob le prit et perça un trou aussi petit que possible en se servant de l'ardillon. Il introduisit lentement l'hameçon tout entier dans l'œuf, puis attacha le fil à la tête d'un clou, derrière le pondoir. Trois mètres, avait dit Watts. Pour que le serpent ait bien avalé l'œuf avant qu'une ligne tendue lui fiche l'hameçon dans la chair.

« Compte donc pas sur moi pour aller là-bas demain matin m'occuper d'un serpent », dit Edna lorsqu'il lui expliqua ce qu'il avait fait.

Elle était dans le rocking-chair, les jambes couvertes d'une courtepointe en patchwork. Il lui avait fabriqué ce fauteuil pour qu'elle s'y assoie quand elle était enceinte de Joel. Il était en bois de merisier, pas ce qu'il y avait de plus pratique pour les meubles, mais il avait voulu qu'il soit joli.

« Je m'en occuperai », dit Jacob.

Pendant un moment il la regarda coudre, le mince fil bleu consolidant le biais du patchwork à motif patte d'ours. Edna travaillait depuis l'aube, mais ne s'arrêtait toujours pas. Jacob s'assit à la table de la cuisine et déplia le journal. En première page, Roosevelt disait que les choses allaient mieux, mais le reste des nouvelles démontrait le contraire. Des grévistes avaient été abattus dans une filature de coton. Des hommes dont le seul crime était de s'être cachés dans des wagons de marchandises pour aller chercher du travail avaient été frappés à coups de matraque par des policiers et des hommes de main à la solde des chemins de fer.

« Ce que tu as dit ce matin, que c'était moi qui avais fait déguerpir Joel et Mary, remarqua Edna sans que son aiguille s'arrête pendant qu'elle parlait, c'étaient de méchantes paroles. Ces gamins, pas une seule fois dans leur vie ils ont eu faim. Leurs vêtements étaient proprement rapiécés, et ils avaient des souliers et un manteau. »

Il savait qu'il aurait dû laisser passer, mais l'image du couteau de Hartley tranchant la gorge du chien était restée coincée dans sa tête.

« T'aurais pu être plus indulgente avec eux.

– Le monde est dur. Ils avaient besoin de le savoir.

– Ils l'auraient découvert tout seuls bien assez tôt.

– Ils avaient besoin d'y être préparés et je les y ai préparés. Ils sont pas dans un campement de clochards ni pieds nus comme Hartley et sa famille. S'ils peuvent pas en être reconnaissants, moi je peux rien faire de plus.

– Il y aura des temps moins difficiles. Cette dépression va pas durer toujours, mais la façon dont tu les as traités, oui.

– Ça fait neuf ans qu'elle dure. Et je la vois pas mollir. Le prix qu'on obtient pour le maïs et les choux bouge pas. On continue à vivre avec la moitié de ce qu'on avait avant. »

Elle revint au biais usé de la courtepointe et ils n'échangèrent plus un seul mot.

Au bout d'un moment, Edna posa son ouvrage et partit se coucher. Jacob la suivit sans tarder. Edna se crispa lorsqu'il étendit son corps près du sien.

« Je veux pas qu'on se dispute », dit Jacob en lui mettant une main sur l'épaule.

Elle tressaillit à son contact, s'écarta.

« Tu penses que j'ai pas de cœur, dit-elle, le visage détourné si bien qu'elle s'adressait au mur. Grippe-sou et mesquine. Mais peut-être qu'autrement y nous resterait plus rien. »

Malgré sa lassitude, Jacob eut du mal à s'endormir. Quand enfin il y parvint, il rêva d'hommes accrochés à des wagons de marchandises que d'autres hommes frappaient à coups de bâton. Ceux que l'on battait portaient des brodequins crottés et des salopettes, et il savait que ce n'étaient ni des ouvriers qu'on avait débauchés ni des mineurs, mais des cultivateurs comme lui.

Il se réveilla dans l'obscurité. La fenêtre était ouverte et avant qu'il n'arrive à se rendormir il entendit un bruit venant de l'intérieur du poulailler. Il enfila sa salopette et ses godillots, puis sortit sur la galerie et alluma une lanterne. Le ciel était plein d'étoiles et un croissant de lune posé à l'horizontale sur l'horizon éclairait le sol, mais le poulailler sans fenêtre était noir comme un four. Il lui était venu à l'esprit que, si un serpent ratier jaune pouvait manger un œuf, une vipère cuivrée ou un dos de satin le pouvaient tout autant, et il tenait à voir où il mettait les pieds. Il alla au bûcher et s'arma d'une binette pour tuer l'animal.

Jacob franchit le ruisseau en passant sur le rondin posé en travers et s'approcha de l'entrée. Il leva la lanterne et inspecta le pondoir. La Bantam y était, mais sous elle il n'y avait pas d'œuf. Il fallut à Jacob un petit moment pour trouver la ligne menant dans le coin du fond, tel le brin unique d'une toile d'araignée. Il assura la binette dans sa main et fit un pas en avant. La lampe tenue à bout de bras, il aperçut la fille de Hartley, blottie là, le fil à pêche disparaissant dans sa bouche fermée.

Elle n'essaya pas de parler tandis qu'il s'agenouillait devant elle. Il posa la binette et la lanterne par terre et sortit son canif, puis coupa le fil quelques centimètres au-dessus de l'endroit où il se perdait entre les lèvres de l'enfant. Pendant quelques instants, il ne s'occupa à rien d'autre.

« Fais-moi voir », demanda-t-il.

Et, même si elle n'ouvrit pas la bouche, elle n'opposa pas de résistance à l'action de ses doigts.

Il trouva l'ardillon profondément enfoncé dans sa joue et fut soulagé. Il avait craint qu'il ne soit piqué dans sa langue ou, bien pire, loin dans sa gorge.

« Il faut qu'on sorte cet hameçon de là », lui expliqua-t-il.

Mais elle ne répondit toujours pas. Ses yeux ne s'arrondirent pas de frayeur et il se demanda si elle n'était pas en état de choc. L'ardillon était planté trop profond pour le retirer en le tortillant. Il fallait qu'il finisse de l'enfoncer jusqu'à l'autre extrémité.

« Ça va faire mal, mais juste une seconde », dit-il.

Son pouce et son index saisirent alors l'hameçon là où il commençait à se recourber. Il alla plus profond dans la chair, ses doigts rendus glissants par le sang et la salive. L'enfant gémit. Finalement, l'ardillon passa. Jacob dégagea la hampe en la tortillant, et la ligne vint en dernier, comme du fil à coudre achevant un point.

« Voilà, il est sorti », lui annonça-t-il.

Jacob ne se releva pas immédiatement. Il réfléchissait à la suite des opérations. Il pouvait prendre la petite dans ses bras, la ramener à la baraque des Hartley et expliquer ce qui s'était passé, mais il repensa au chien. Il regarda la joue de l'enfant, il n'y avait pas de larmes, rien qu'un trou minuscule qui saignait à peine plus que ne l'aurait fait une égratignure de ronce. Il examina l'hameçon, y cherchant des points de rouille. Il ne semblait pas y en avoir, il n'avait donc au moins pas à s'inquiéter que la gamine attrape le tétanos. Mais cela pouvait quand même s'infecter.

« Reste là », dit Jacob, qui partit au bûcher.

Il trouva la térébenthine et revint. Il sortit son mouchoir, l'en imbiba, puis ouvrit la bouche de l'enfant et tamponna la plaie, recommença à l'extérieur, sur la joue.

« Bon », dit-il.

Il tendit les mains et les glissa sous ses aisselles. Elle était si légère que c'était comme soulever une poupée de chiffon.

L'enfant se tenait maintenant debout devant lui, et pour la première fois il s'aperçut que sa main droite renfermait quelque chose. Il ramassa la lanterne, vit que c'était un œuf et qu'il était intact. Jacob le désigna d'un signe de tête.

« Tu ne les rapportes jamais chez toi, hein ? Tu les manges ici, c'est ça ? »

L'enfant hocha la tête.

« Alors vas-y, mange-le, mais tu ne pourras plus revenir. Sinon, ton papa le saura. Tu as compris ?

– Oui », murmura-t-elle.

Son tout premier mot.

« Mange-le, vas-y. »

La fillette porta l'œuf à ses lèvres. Un mince filet de sang coula sur son menton lorsqu'elle ouvrit la bouche. Il y eut un petit craquement quand ses dents se refermèrent sur la coquille.

« Et maintenant rentre chez toi, dit-il quand elle eut avalé le dernier petit morceau de coquille. Et ne reviens pas. Je vais mettre un autre hameçon dans les œufs, et cette fois au bout il n'y aura pas de ligne. Tu l'avaleras et il te déchirera les intestins. »

Jacob la regarda remonter le sentier de débardage jusqu'à ce que l'obscurité l'enveloppe, puis il s'assit sur la souche qui lui servait de billot. Il éteignit la lanterne en soufflant dessus et attendit, mais quoi, il n'aurait su le dire. Au bout d'un certain temps, la lune et les étoiles pâlirent. À l'est, l'obscurité s'éclaircit jusqu'à prendre la couleur du verre bleu indigo. Les premières silhouettes des tiges de maïs et de leurs feuilles étaient visibles à présent, jaillissant du sol tels des bras pauvrement vêtus.

Jacob ramassa la lanterne et la térébenthine et retourna au bûcher, puis à la maison. Edna était en train de s'habiller lorsqu'il entra dans la chambre. Elle lui tournait le dos.

« C'était un serpent », dit-il.

Edna interrompit son mouvement et lui fit face. Ses cheveux étaient dénoués, son visage pas encore durci pour affronter les exigences de la journée, et il eut une vision fugitive de la femme plus jeune, plus douce, qu'elle avait été une vingtaine d'années plus tôt quand ils s'étaient mariés.

« Tu l'as tué ?

– Oui. »

Sa bouche se pinça.

« J'espère que tu ne l'as pas simplement jeté près du poulailler. Je veux pas sentir pourrir ce machin-là quand j'irai ramasser les œufs.

– Je l'ai balancé de l'autre côté de la route. »

Il se mit au lit. La forme et la chaleur d'Edna persistaient sur le matelas de plumes.

« Je me lèverai dans quelques minutes », lui dit-il.

Jacob ferma les yeux mais ne dormit pas. Non, il imagina des villes où des hommes affamés s'accrochaient à des wagons de marchandises pour aller chercher un travail impossible à trouver, des baraques où vivaient des familles qui n'avaient même pas une vache à lait au dos creux. Il imagina de grandes cités où du sang maculait les trottoirs au pied d'immeubles aussi hauts que des montagnes. Il s'efforça d'imaginer un endroit pire que celui où il se trouvait.

Le bout du monde

Ce matin-là, quand Parson fit le trajet en pick-up jusqu'à son magasin, le ciel était couleur de plomb. Des flocons tourbillonnants, tombant par rafales, se posaient sur son pare-brise, s'y attardaient un peu avant de rendre l'âme. « Une grosse chute de neige cette nuit », avait prévenu le présentateur météo, et apparemment c'était garanti, tout était gagné par le silence et l'immobilité, tout attendait. Encore davantage de neige en altitude, assez pour que de nombreuses routes deviennent impraticables. Ce serait une journée rentable, car Parson savait qu'ils viendraient dans sa boutique de prêteur sur gages avant de vider tous les rayons de médicaments contre le rhume qu'ils pourraient trouver en ville. Sortis de tous les vallons et les trous paumés du comté, ils débarqueraient d'abord au Wal-Mart parce que c'était le supermarché le moins cher, ensuite au Rexall, et enfin dans les trois petits commerces de proximité, car murs et fenêtres ne pouvaient masquer l'odeur de meth.

Parson entra au volant de sa Jeep dans le parking de la construction en parpaings au-dessus de la porte de laquelle le panneau PARSON ACHAT-VENTE était suspendu. Un des toxicos s'était ramené avec une enseigne électrique portative la semaine précédente, il avait ça sur le plateau de son pick-up et aussi une poubelle remplie de lettres en plastique rouge à coller dessus. Le type lui avait expliqué que cette enseigne attirerait dans sa boutique des clients potentiels. « Tu m'as bien trouvé, toi », avait répondu Parson. Sa montre indiquait 8:40 et le panonceau dans la vitrine annonçait *9 h 00 - 18 h 00 du mardi au samedi*, mais une Ford Escort grise, un modèle datant d'une dizaine d'années, avait déjà le nez collé au bâtiment. Le pare-brise arrière était endommagé, des fissures s'étirant vers les bords comme une toile d'araignée. Le bouchon d'essence, un vieux chiffon roulé en boule. Une femme était assise au volant. Peut-être attendait-elle depuis dix minutes, ou depuis dix heures.

Parson descendit de son pick-up, déverrouilla la porte du magasin et coupa l'alarme. Il alluma la lumière et passa derrière le comptoir, posa le revolver Smith & Wesson chargé sur l'étagère placée sous la caisse. La clochette en cuivre fixée au-dessus du seuil tinta.

La femme attendit sur le pas de la porte, serrant dans ses bras une baratte à beurre et sa batte en bois. Parson devait le leur accorder, ils devenaient de plus en plus inventifs. La semaine précédente l'enseigne électrique et des fausses dents, celle d'avant quatre roues de bicyclettes et une table de chiropractie. Il fit signe à la femme d'entrer. Elle posa la baratte et la batte sur le comptoir.

« C'est de l'ancien, dit-elle. J'ai vu la même à la télé, et le type disait qu'elle valait cent dollars. »

Quand la femme se mit à parler, Parson entrevit la ruine de chicots bruns dans sa bouche. Il voyait bien son visage à présent, les joues et les yeux creux, la peau blême et ridée. Il voyait où les os, impatients, pointaient sous les joues et le menton. Les yeux brillants mais vifs, agités et faméliques.

« Alors vous feriez mieux de le trouver, ce gars, dit-il. Ce genre d'imbécile, ça ne court pas les rues.

– Elle était à mon arrière-grand-mère, reprit la femme en montrant la baratte d'un signe de tête, alors elle a pas loin de soixante-quinze ans. » Elle marqua un temps. « Je crois que je pourrais en demander cinquante dollars. »

Parson examina la baratte, souleva la batte et l'inspecta à son tour. Un antiquaire d'Asheville lui en donnerait peut-être cent dollars.

« Vingt dollars, lança-t-il.

– Le type à la télé disait…

– Oui, je sais, coupa Parson. Vingt dollars, c'est mon dernier prix. »

La femme considéra la baratte quelques instants, puis ses yeux revinrent sur Parson.

« D'accord », dit-elle.

Elle prit l'argent, fourra les billets dans son jean, mais ne bougea pas.

« Quoi ? » demanda Parson.

La femme hésita, puis leva les mains et ôta la bague emblème de son lycée. Elle la lui tendit et Parson l'examina. *Promotion 2000*, lisait-on dessus.

« Dix dollars », dit-il en posant le bijou du côté de la femme sur le comptoir en verre.

Elle ne chercha pas à marchander cette fois, mais poussa la bague sur la vitre comme si c'était un pion de jeu de société. Ses doigts s'attardèrent quelques instants sur le métal avant qu'elle ne lâche prise et ne tende la main.

À midi, il avait eu vingt clients et presque tous étaient accros à la meth. Parson n'avait pas besoin de les regarder pour le savoir. L'odeur entrait avec eux, dans leurs cheveux, sur leurs vêtements, une aigre senteur d'ammoniaque genre pisse de chat. La neige tombait maintenant sans discontinuer et les affaires commencèrent à ralentir, même les besoins incontrôlables des toxicos se soumettaient au climat.

Parson finissait de déjeuner dans l'arrière-boutique quand la sonnette retentit encore une fois. Il repassa dans son magasin et trouva le shérif Hawkins qui l'attendait.

« Alors, Doug, qu'est-ce qu'ils ont volé ce coup-ci ? demanda-t-il.

– Ça serait pas possible que je passe simplement voir mon vieux copain de lycée ? »

Parson posa les mains sur le comptoir.

« Si, mais j'ai comme l'impression que c'est pas ça.

– Non, reconnut Hawkins avec un sourire ironique. En cette période troublée, on n'a pas souvent l'occasion de rendre visite aux amis et à la famille.

– Une période troublée et pourtant bonne pour les affaires. Pas seulement les miennes mais aussi les tiennes.

– C'est une façon de voir les choses, je suppose. Encore que les miennes aient été trop bonnes ces derniers temps. »

Hawkins fit un rapide inventaire des bicyclettes, des tondeuses à gazon et des tronçonneuses qui encombraient les coins de la pièce. Puis il passa de nouveau les lieux en revue, de façon plus méthodique cette fois, en allant voir aussi derrière le comptoir. Les yeux bruns du shérif s'arrêtèrent sur le sol, où un fusil de chasse traînait parmi d'autres articles encore à étiqueter.

« Ce .410, c'est peut-être ce que je cherche, déclara-t-il. Qui te l'a apporté ?

– Danny. »

Parson tendit l'arme au policier sans rien ajouter. Hawkins la prit en main et examina la crosse un moment.

« Ma vue n'est plus ce qu'elle était, Parson, mais je dirais que les initiales gravées dessus sont *SJ*, et pas *DP*.

– C'est le fusil à Steve Jackson ?

– Oui, chef, répondit le shérif en déposant l'arme sur le comptoir. Danny l'a pris dans le pick-up de Steve, hier. Du moins, c'est ce que croit Steve.

– J'avais pas remarqué les initiales. Je pensais que ça venait de la ferme. »

Hawkins ramassa le fusil de chasse sur le comptoir et le tint dans une main, tout en l'examinant d'un œil critique. Il le fit pivoter légèrement, passa son pouce sur le bois verni de la crosse.

« Je pense pouvoir convaincre Steve de ne pas porter plainte.

– Ne fais pas ça pour me rendre service. Si son père se contrefout qu'il soit un voleur, pourquoi pas moi ?

– Qu'est-ce qui te fait croire que Ray s'en fiche ?

– C'est que Danny m'apporte des trucs de la ferme depuis un bail. Ray sait où ils finissent. Je l'ai appelé il y a trois mois pour le lui dire en personne. Il a répondu qu'il ne pouvait rien y faire.

– Toi non plus tu ne m'as pas trop l'air d'y faire grand-chose. Enfin, tu achètes ce qu'il t'apporte, non ?

– Autrement, il descendra vendre tout ça à Sylva. »

Parson regarda la neige, dehors, le parking désert à l'exception de son véhicule et de celui de Hawkins. Il se demanda si des clients avaient renoncé à se garer à cause de la voiture du shérif.

« Tu ferais aussi bien d'aller l'arrêter, reprit-il. Tu as vu suffisamment de ces accros à la meth pour savoir qu'il ne va pas tarder à voler autre chose.

– Je ne savais pas qu'il prenait de la meth.

– C'est ton boulot, non, de savoir ce genre de trucs ?

– Ils sont trop nombreux pour tenir les comptes à jour. Cette meth, c'est pas comme les autres drogues. Même la cocaïne et le crack, au moins c'était cher et difficile à se procurer. Mais ce truc-là, c'est trop facile. » Le shérif regarda par la fenêtre. « Avec cette neige, la journée va être longue, je ferais mieux d'y aller.

– Alors tu ne vas pas l'arrêter ?

– Non. Il devra attendre son tour. Il y en a deux douzaines avant lui. Mais tu pourrais me rendre un service en lui donnant un coup de fil. Dis-lui que c'est une chance à saisir, que la prochaine fois je le boucle. » Hawkins pinça les lèvres un instant, l'air pensif. « Peut-être même qu'il le croira, bordel !

– Je vais le lui dire, mais de vive voix. »

Parson alla à la fenêtre et regarda le shérif quitter le parking en marche arrière et prendre la route à deux voies pour rejoindre la grand-rue de la ville. La neige adhérait au bitume à présent, la Jeep enveloppée d'un manteau blanc. Il avait regardé Danny repartir, la veille, le hayon baissé et le plateau du pick-up vide. Parson savait que le plateau du pick-up serait vide lorsque Danny ressortirait de la ville, sans sacs d'épicerie remplis ni bidons de pétrole, parce que le gamin vivait dans un monde où nourriture, chaleur et vêtements n'importaient plus. L'essentiel, c'étaient les boîtes rouge et blanc de Sudafed sur le siège du passager tandis que le pick-up disparaissait de nouveau dans les replis des hautes montagnes, en direction de Chestnut Cove, ce que le père de Parson avait appelé le « bout du monde », là où Parson et Ray avaient grandi.

Il glissa le revolver dans sa poche de manteau et retourna le panneau OUVERT du côté FERMÉ. Arrivé sur la route, il vit que la neige était sèche, poudreuse, ce qui rendrait le trajet plus facile. Il prit vers l'ouest et n'alluma pas la radio.

À part les deux années passées à l'armée, Ray avait vécu toute sa vie à Chestnut Cove. Il s'était servi de sa solde pour acheter une exploitation attenante à celle où il avait grandi et, peu de temps après, avait épousé Martha. Parson s'était lui aussi engagé dans l'armée, mais ensuite il était allé vivre à Tuckasegee. Quand leurs parents avaient été trop vieux pour réparer les clôtures et nourrir le bétail, planter et récolter le tabac, Ray et Martha s'en étaient chargés. Ray n'avait jamais demandé à Parson de l'aider, n'avait jamais compté sur lui pour le faire, puisqu'il vivait à une trentaine de kilomètres de là, en ville. De son côté, Parson n'avait éprouvé aucune amertume quand l'exploitation avait été léguée à l'aîné. Ray et Martha l'avaient méritée. À ce moment-là, Parson était propriétaire de sa boutique de prêteur sur gages, entièrement remboursée à la banque, et ne manquait pas d'argent. Ray et Martha avaient vendu leur maison et s'étaient installés à la ferme, y avaient élevé Danny et ses trois grandes sœurs.

Parson ralentit là où commençait un long virage autour de Brushy Mountain. Peu après, à une bifurcation, il tourna à gauche. Encore un virage à gauche et il fut sur une route du comté, mal entretenue parce que pas un seul riche habitant de la Floride n'y avait sa résidence secondaire. Pas de glissières de sécurité. Il ne croisa aucun autre véhicule. Peu de gens vivaient dans le vallon, avaient même jamais vécu là-haut.

Parson se gara à côté du pick-up de Ray et descendit de voiture, puis il resta quelques instants face à la ferme. Il n'y était pas monté depuis bientôt un an et se dit qu'il aurait dû ressentir davantage que la brûlure de la colère vis-à-vis de son neveu. Une sorte de nostalgie. Mais Parson ne parvint pas à la faire naître, et, de toute façon, la nostalgie de quoi ? De se crever le cul dans les champs de tabac du mois d'août, de traire les vaches par des matins tellement glacés qu'il en avait les mains engourdies – précisément ce qui lui avait fait fuir cet endroit. Hormis un mince ruban de fumée s'échappant de la cheminée, la ferme semblait abandonnée. Pas de vaches blotties les unes contre les autres pour résister à la neige, pas de télé ni de radio allumée dans la pièce de devant ni à la cuisine. Parson n'avait jamais regretté d'être parti, et jamais moins que maintenant où son regard allait du tracteur et de la moissonneuse-lieuse rouillés aux clôtures affaissées qui n'enfermaient plus rien, se posait sur la maison, puis se tournait vers le terrain qui la séparait de la grange.

Le mobile home bleu et blanc cabossé de Danny squattait le pré. Les pieds de Parson produisirent un bruissement doux alors qu'il partait s'occuper de son neveu avant d'aller parler à son frère et à sa belle-sœur. Nulle trace de pas ne marquait la neige entre la maison et le mobile home. Parson frappa à la frêle porte en aluminium et, n'obtenant pas de réponse, entra. Aucune lumière ne brillait et il ne fut pas étonné lorsqu'il abaissa un interrupteur et que rien ne se passa. Ses yeux s'habituèrent lentement à l'obscurité et il aperçut la table de jeu, et dessus des boîtes de céréales, certaines ouvertes, d'autres non, une grosse bouteille de lait de deux litres, dont le contenu avait gelé. La fenêtre brisée aidait à comprendre pourquoi. Deux bols recouverts d'une croûte de céréales séchées traînaient aussi sur la table. Deux cuillères. Parson s'avança vers la pièce du fond, aperçut d'abord le poêle à pétrole à côté du lit, l'éclat orange de sa mèche métallique. Deux monticules étroitement serrés se dressaient sous une pile de courtepointes. Comme s'ils reposaient déjà dans leur tombe, songea-t-il en se penchant et en poussant du doigt la plus grosse des deux formes.

« Debout, mon gars ! » dit-il.

Mais ce fut le visage de Ray qui émergea, et son torse, emmitouflé dans toute une collection de chemises et de pulls. Le visage de Martha apparut à son tour. Tous deux avaient l'air d'animaux craintifs dérangés dans leur tanière. Pendant quelques instants, Parson ne put que les dévisager. Après des dizaines d'années passées à exercer le plus cynique des métiers, il était ébahi que quelque chose puisse encore le surprendre.

« Pourquoi diable n'êtes-vous pas dans la maison ? » finit-il par demander.

Ce fut Martha qui lui répondit :

« C'est Danny. Il est là-bas, et ses amis aussi, des fois. » Elle marqua un temps d'arrêt. « C'est mieux, plus facile, si on est ici. »

Parson regarda son frère. Ray avait soixante-cinq ans mais en paraissait quatre-vingts, la bouche affaissée, maigre et affaibli. Sa belle-sœur semblait un peu plus en forme, peut-être parce que c'était une grosse femme bien charpentée. Mais tous les deux avaient mauvaise mine – l'air affamé, épuisé, souffrant. Et effrayé. Parson ne se souvenait pas d'avoir vu un jour son frère effrayé, mais de toute évidence il l'était. Sa main droite serrait une extrémité de la courtepointe, et cette main tremblait. Parson et sa femme, DeAnne, avaient divorcé avant d'avoir eu des enfants. Une chance, comprit-il alors, qui écartait tout risque de finir ainsi.

Martha ne s'était pas privée de vouloir en imposer à Parson avec sa famille, par le passé, suffisamment pour que ses visites se fassent rares et brèves. « Tu as raté quelque chose en n'ayant pas d'enfant », lui avait-elle dit plus d'une fois, des paroles qui lui revenaient les jours où Danny mettait au clou une tronçonneuse, une tarière, ou tout autre accessoire de la ferme. Que Parson ne trouve maintenant aucun plaisir à se rappeler ses paroles en disait long sur l'état d'abattement de Martha.

Il fixa son regard sur le poêle à pétrole, qui dégageait une faible chaleur.

« Ouais, c'est bien vrai, ça m'a l'air plus facile ici », dit-il.

Ray lécha ses lèvres gercées avant de parler, d'une voix râpeuse :

« Ce truc… va donc savoir comment ça s'appelle… mon fils ça en a fait un cinglé. Y a plus rien d'autre que ce besoin qui le dévore.

– C'est pas sa faute, c'est ce besoin, renchérit Martha en se redressant suffisamment pour révéler qu'elle aussi portait des couches et des couches de vêtements. Peut-être que je l'ai mal élevé, que je l'ai trop chouchouté parce que j'avais pas d'autre garçon. Les filles ont toujours soutenu que c'était mon préféré.

– Les filles sont montées ici ? demanda Parson. Elles vous ont vus comme ça ? »

Martha secoua la tête.

« Elles ont leur famille à s'occuper », dit-elle.

La lèvre inférieure de Ray trembla.

« C'est pas ça. Elles ont peur de monter. »

Parson regarda son frère. Il avait cru que ce serait bien plus facile, une affaire de vingt dollars, ça, et transmettre la menace du shérif.

« Depuis combien de temps vous êtes là, Ray ?

– Je sais pas trop. »

Martha parla :

« Pas plus d'une semaine.

– Depuis combien de temps l'électricité est coupée ?

– Octobre, répondit Ray.

– Et sur la table, c'est tout ce que vous avez à manger ? »

Ray et Martha évitèrent son regard.

Une photo de famille était accrochée à la cloison. Parson se demanda quand on l'y avait mise, avant ou après que Danny avait déménagé. Danny avait seize ans, peut-être dix-sept, sur le cliché. Arrogant mais aussi coléreux, l'expression d'un jeune homme qui avait été gâté toute sa vie. L'enfant chéri de la famille. Tout à coup, Parson comprit quelque chose.

« Il touche vos chèques de l'aide sociale, hein ?

– C'est pas sa faute », dit Martha.

Parson était toujours au pied du lit, Ray et Martha ne faisant pas mine de se lever. On aurait dit des enfants attendant qu'il éteigne la lumière et s'en aille pour pouvoir dormir. Les prêteurs sur gages, comme les médecins urgentistes et autres divinités inférieures, devaient renoncer à la compassion. Ce qui n'avait jamais posé de problème à Parson. Comme le lui avait dit et répété DeAnne, il était incapable de comprendre ce que quelqu'un d'autre avait dans le cœur. « Tu ne sais pas ce que c'est que l'amour, Parson, avait-elle affirmé. C'est comme s'il y a des années on t'avait fait une piqûre, et vacciné. »

« Je vais te faire remettre l'électricité, dit Parson à son frère. Tu peux encore conduire ?

– Oui, je peux conduire. Seulement Danny prend le pick-up pour ses petites affaires.

– Ça va changer, promit Parson.

– C'est pas la faute à Danny, dit Martha une fois de plus.

– Ça l'est bien assez », répondit Parson.

Il s'avança dans un coin de la pièce et souleva le bidon de pétrole. À moitié plein.

« Et c'est pour quoi que tu nous prends notre pétrole ? » demanda Martha.

Parson ne répondit pas. Il quitta le mobile home et repartit en pataugeant dans la neige, le bidon lourd et malcommode, sa respiration de brefs et blancs hoquets. Pas tellement différent de ces matins où il avait porté un grand seau de lait chaud entre la grange et la maison. Enfant déjà, il avait voulu quitter cet endroit. Ne l'avait jamais aimé comme Ray l'avait aimé. *Vacciné.*

Parson posa le bidon sur le hayon abaissé et s'y percha. Il sortit le briquet et les cigarettes de la poche de son manteau et tout en fumant observa la maison. Des bûches et du petit bois rapportés du bûcher jonchaient la galerie. Aucune tentative n'avait été faite pour les entasser.

Ce serait facile, se dit-il. Personne n'avait bougé quand il était arrivé et s'était garé à quelques mètres de la porte d'entrée. Personne n'avait même jeté un coup d'œil par une fenêtre. Il pourrait monter sur la galerie et inonder de pétrole les bûches et le petit bois, puis contourner la maison et verser le reste sur la porte de derrière. Et Hawkins n'y verrait qu'une énième explosion de meth provoquée par un minable ayant foiré l'examen de chimie au lycée. Et s'ils étaient plusieurs là-dedans, les autres étaient de toute façon des gens tout à fait disposés à fiche la trouille à deux vieux pour les chasser de chez eux. Pas pire que de foutre le feu à un tas de bois infesté de vipères cuivrées. Parson finit sa cigarette et d'une chiquenaude l'envoya vers la maison.

Un bref sifflement alors que la neige éteignait le mégot fumant.

Il descendit du hayon et monta sur la galerie, tourna la poignée de la porte et quand elle céda entra dans la pièce de devant. Un feu mourant rougeoyait dans l'âtre. La pièce avait été dépouillée de tout ce qui pouvait être vendu, le seul meuble encore là, un canapé tiré devant la cheminée. Même le papier peint avait été arraché à l'un des murs. L'odeur de meth pénétrait tout, recouvrait les murs et le plancher.

Danny et une fille que Parson ne connaissait pas étaient allongés sur le canapé, une courtepointe jetée sur eux. Leurs vêtements étaient usés, sales, et semblaient, à l'odeur, avoir été repêchés dans une benne à ordures. En s'avançant vers le canapé, Parson marcha sur des restes de sandwichs pourris dans des sachets en papier, sur des emballages de bonbons, dans des flaques de soda renversé. S'il y avait eu par terre de la merde humaine, il n'aurait pas été étonné.

« C'est qui ? demanda la fille à Danny.

– Un gars à qui on doit vingt dollars », répondit Parson.

Danny s'assit lentement, la fille aussi, le cheveu noir, triste et raide, la chair taillée au couteau par la meth. Parson chercha ce qui pourrait la distinguer de la bonne douzaine de femmes qu'il voyait chaque semaine. Il lui fallut un petit moment mais il trouva quelque chose, un trèfle à quatre feuilles bleu tatoué sur son avant-bras. Il plongea son regard dans ses yeux morts et ne vit aucun signe que la chance l'ait trouvée.

« T'en as eu marre de voler tes parents, c'est ça ? demanda-t-il à son neveu.

– De quoi tu parles ? » dit Danny.

Ses yeux étaient bleu clair, pareils à ceux de la fille, brillants mais en même temps morts. Un souvenir de l'école primaire revint à Parson, d'insectes aux couleurs vives piqués et enfermés sous du verre.

« Du fusil que tu as volé. »

Danny sourit, mais garda la bouche fermée. Il lui reste encore un peu de vanité, songea Parson en se rappelant que déjà quand il était petit le garçon se pomponnait, un peigne toujours prêt dans la poche de sa chemise, de beaux habits.

« Je pensais pas qu'il lui manquerait tant que ça, remarqua Danny. Sa station-service, elle lui rapporte assez pour qu'il s'en paye un autre.

– T'as une sacrée chance que ce soit moi qui t'en parle et pas le shérif – sauf qu'il montera ici dès que les routes seront dégagées. »

Danny considéra le feu mourant, comme s'il s'adressait à lui et non à Parson :

« Alors qu'est-ce que tu fous là ? Je sais que c'est pas pour m'avertir que Hawkins va venir.

– Parce que je veux mes vingt dollars.

– Je les ai pas, tes vingt dollars.

– Alors tu vas me payer autrement.

– Et comment ?

– En montant dans le pick-up. Je t'emmène à la gare routière, petit con. Un aller simple pour Atlanta.

– Et si je veux pas ? »

Il y avait eu une époque où le garçon aurait pu faire de ces mots une réplique redoutable, car il avait été large d'épaules et robuste, le meilleur ailier du comté, mais il avait perdu plus de vingt kilos, les muscles ayant fondu tout autant que ses dents. Parson ne se donna même pas la peine de lui montrer le revolver.

« D'accord, tu peux attendre ici que le shérif vienne et traîne ton cul de crétin en prison. »

Danny regarda fixement le feu. La fille tendit la main, la laissa se poser sur l'avant-bras du garçon. La pièce était parfaitement silencieuse à l'exception de quelques crépitements et pétarades provenant du feu. Nul temps n'égrenait son tic-tac sur le dessus de cheminée. Parson avait acheté la pendule Franklin à Danny deux mois auparavant. Il avait un bref instant songé à la garder, mais l'avait revendue à l'antiquaire d'Asheville.

« Si on m'arrête, ce sera gênant pour toi. C'est ça, la raison ? demanda Danny.

– La raison pour quoi ?

– Pour que tu fasses comme si tu en avais quelque chose à foutre de moi. »

Parson ne répondit pas, et pendant presque une minute personne ne parla. Ce fut la fille qui finit par rompre le silence :

« Et moi, alors ?

– Je t'achèterai un billet ou je te laisserai à Asheville, répondit Parson. Mais tu ne restes pas ici.

– On peut aller nulle part sans nos médicaments, dit la fille.

– Alors va les chercher. »

Elle partit à la cuisine et revint avec un sac en papier kraft, la moitié supérieure repliée et froissée.

« Hé ! fit-elle quand Parson le lui prit.

– Je vous le rendrai quand vous monterez dans le car. »

Danny semblait réfléchir à quelque chose et Parson se demanda s'il avait un couteau sur lui, ou peut-être un revolver, mais quand il se leva, les mains vides, ni manche ni crosse ne dépassait de sa poche.

« Enfilez vos manteaux, ordonna Parson. Vous allez voyager à l'arrière.

– Il fait trop froid, protesta la fille.

– Pas plus froid que dans le mobile home », dit Parson.

Danny marqua un temps alors qu'il enfilait une veste en jean.

« Donc tu es d'abord allé là-bas.

– Oui. »

Quelques instants s'écoulèrent avant que Danny parle :

« Je les ai pas forcés à y aller. Ils ont eu la trouille de types qui étaient ici la semaine dernière. » Il poussa un ricanement, un truc qu'il avait dû répéter devant la glace, supposa Parson. « Je passe les voir plus souvent que toi.

– En route », dit Parson. Il agita le sac en papier sous le nez de Danny et de la fille, puis tira le revolver de sa poche. « J'ai ces deux trucs-là, si jamais vous envisagiez de tenter quelque chose. »

Ils sortirent. La neige continuait à tomber dru, le chemin jusqu'à la route du comté n'était plus maintenant qu'une blanche absence d'arbres. Danny et la fille restaient là à côté du hayon, mais ne montaient pas. Danny montra d'un signe de tête le sac en papier que Parson tenait dans sa main gauche.

« Donne-nous-en au moins un peu pour supporter le froid. »

Parson ouvrit le paquet, en tira un des petits sachets. Il ne savait vraiment pas si un seul suffisait ou non pour deux. Il le lança à l'arrière du pick-up et regarda Danny et la fille grimper dedans à sa suite. Tu ferais pas autrement avec des clébards et un biscuit pour chiens, se dit-il en poussant un peu le bidon de pétrole et en refermant le hayon.

Il monta dans le pick-up et fit démarrer le moteur, descendit lentement l'allée. Arrivé sur la route du comté, il tourna à gauche et entama le trajet de vingt-cinq kilomètres menant à Sylva. Danny et la fille étaient blottis contre la vitre arrière, leurs têtes et celle de Parson séparées par moins d'un centimètre de verre. Leur proximité faisait de la cabine un espace confiné, surtout quand il entendit les pleurs étouffés de la fille. Parson alluma la radio, l'unique station qu'il réussit à capter promettant trente centimètres de neige d'ici à la nuit tombée. Puis une chanson qu'il n'avait pas entendue depuis trente ans, « Walking the Floor Over You » d'Ernest Tubb. À mi-chemin sur Brushy Mountain, la route décrivait un virage brusque puis descendait à pic. Danny et la fille glissèrent d'un bout à l'autre du plateau et allèrent se cogner contre le hayon. Un peu plus tard, quand la route revint à l'horizontale, Danny martela la vitre de son poing, mais Parson ne se retourna pas. Il se contenta de monter le volume de la radio.

À la gare routière, Danny et la fille s'assirent sur un banc pendant que Parson achetait les billets. Le car pour Atlanta n'arriverait pas avant une heure, et Parson attendit à l'opposé de là où ils étaient. La fille avait la lèvre éclatée, probablement à cause de la glissade contre le hayon. Elle se tamponna la bouche avec un kleenex, puis considéra longuement le sang sur le mouchoir en papier. Danny était nerveux, les mains agitées, il ne cessait de remuer sur le banc comme s'il n'arrivait pas à trouver une position confortable.

Il finit par se lever et s'approcha de l'endroit où Parson était assis, se planta devant lui.

« Tu ne m'as jamais beaucoup aimé, hein ? »

Parson leva les yeux vers le garçon – car même s'il avait vingt ans passés Danny était encore un garçon, mourrait en étant toujours un garçon, croyait-il.

« Non, faut croire que non, reconnut-il.

– Ce qui m'est arrivé, c'est pas tout ma faute.

– On n'arrête pas de me le dire.

– Y a pas de bons boulots dans ce comté. On peut plus gagner sa vie en cultivant la terre. S'il y avait eu quelque chose pour moi, un bon boulot, tu vois…

– Il paraît que des boulots c'est pas ce qui manque à Atlanta. La ville est en plein essor, te voilà parti pour le pays où les faux-fuyants n'existent pas.

– Je veux pas aller là-bas. » Danny marqua une pause. « Je vais mourir, là-bas.

– Ce que tu prends te tuera aussi bien ici qu'à Atlanta. Au moins là-bas tu n'entraîneras pas ton père et ta mère avec toi.

– Tu ne te souciais pas beaucoup d'eux, avant, surtout pas de maman. Alors pourquoi tu t'en soucies, maintenant ? »

Parson réfléchit à la question, retourna dans sa tête plusieurs réponses possibles.

« Parce qu'il n'y a personne d'autre, faut croire », finit-il par dire.

À l'arrivée du car, il les accompagna au quai de chargement. Il remit à la fille le sac en papier et les billets, puis regarda le car sortir en grondant de sous l'auvent et prendre la direction du Sud. Il y aurait plusieurs arrêts avant Atlanta, mais Danny et la fille resteraient à bord à cause des deux cents dollars qu'il avait promis de leur envoyer par l'intermédiaire de la Western Union. Une promesse qu'il ne tiendrait pas.

Sur les rayons du Winn-Dixie il n'y avait plus ni lait ni pain, mais assez de tout le reste pour garnir quatre sacs à provisions. Parson s'arrêta à la station-service de Steve Jackson et remplit le bidon de pétrole. Ni l'un ni l'autre ne mentionna le fusil de chasse maintenant raccroché contre la vitre arrière du pick-up. Le retour vers Chestnut Cove se fit plus lentement – davantage de neige sur les routes, la visibilité moindre au fur et à mesure que le peu de lumière qu'avait laissé le jour se dissipait dans les hautes montagnes à l'ouest. Il ferait noir à dix-sept heures, il le savait, et il était déjà seize heures passées. Quand le pick-up eut dérapé une deuxième fois, tournoyé et stoppé dangereusement près d'un à-pic, Parson resta en première ou en seconde. Un trajet de trente minutes par beau temps lui demanda une heure.

Lorsqu'il arriva à la ferme, il prit une lampe électrique sur le tableau de bord, emporta les provisions dans la cuisine. Il alla aussi déposer le pétrole dans la maison, puis repartit vers le mobile home et y entra. La mèche métallique du poêle luisait toujours de son éclat orange. Parson l'éteignit pour que le métal refroidisse.

Il braqua la lampe sur le lit. Ils étaient blottis l'un contre l'autre. La tête de Martha glissée sous le menton de Ray, les bras de celui-ci passés autour de ceux de sa femme. Ils dormaient et semblaient tranquilles. Parson fut navré d'avoir à les réveiller et pendant quelques minutes se retint de le faire. Il rapporta une chaise du séjour et la posa au pied du lit. Il attendit.

Martha se réveilla la première. La pièce était obscure et peuplée d'ombres mais elle devina sa présence, se retourna et le regarda. Elle se déplaça pour mieux le voir et les yeux de Ray s'ouvrirent eux aussi.

« Vous pouvez rentrer à la maison, maintenant », annonça Parson.

Ils le regardèrent fixement, sans plus.

« Il est parti. Et il ne reviendra pas. Il n'y aura aucune raison non plus pour que ses amis viennent ici. »

Martha remua, s'assit dans le lit.

« Qu'est-ce que tu lui as fait ?

– Rien du tout. Lui et sa copine voulaient aller à Atlanta et je les ai conduits à la gare routière. »

Martha ne parut pas le croire. Elle quitta le lit sans hâte et Ray l'imita. Ils enfilèrent leurs chaussures, puis s'avancèrent d'un pas hésitant vers la porte du mobile home, apparemment sans grand plaisir. Ils hésitaient.

« Allez-y, dit Parson. J'apporte le poêle. »

Il retourna le chercher. Il se baissa et le souleva lentement, en faisant attention de s'aider de ses jambes plutôt que de son dos. Il restait peu de pétrole à l'intérieur, il n'était donc pas lourd, simplement malcommode. Quand Parson revint dans le séjour, son frère et sa belle-sœur n'avaient pas bougé.

« Tiens-moi la porte ouverte, demanda-t-il à Ray, que je sorte ce machin-là. »

Parson descendit le poêle au bas des marches et le porta tout du long. Une fois dans la maison, il le posa près de la cheminée, remplit le réservoir et l'alluma. Ray et lui ramassèrent des bûches et du petit bois sur la galerie, et firent partir une bonne flambée dans l'âtre. Le tirage ne fonctionnait pas comme il aurait dû. Quand Parson l'eut réglé, une odeur de fumée emplit la pièce, mais cela sentait meilleur que la meth.

Assis tous les trois sur le canapé, ils déballèrent les sandwichs. Ils ne parlèrent pas, même quand ils eurent fini de manger, se contentant de regarder le foyer tandis que les flammes jetaient des ombres tremblantes sur les murs. Parson songea que ce devait être une émotion humaine fort ancienne, qu'il y avait dix mille ans des gens avaient dû faire comme eux par une nuit glaciale, manger, puis s'asseoir devant le feu, le contempler et se sentir en paix, d'avoir survécu à la journée et de pouvoir maintenant se reposer.

Martha se mit à ronfler doucement et Parson à son tour sentit le sommeil le gagner. Il se secoua, jeta un coup d'œil à son frère, dont les yeux surveillaient toujours le feu. Ray ne semblait pas assoupi, il était simplement perdu dans ses pensées.

Parson se leva et se planta devant l'âtre, laissant la chaleur pénétrer ses vêtements et sa peau avant de sortir dans le froid. Il tira le revolver de sa poche et le donna à Ray.

« Au cas où des amis de Danny viendraient t'embêter, dit-il. Je te ferai remettre le courant demain matin. »

Martha se réveilla en sursaut. Pendant quelques instants, elle parut ne pas savoir où elle était.

« Tu songes pas à retourner à Tuckasegee ce soir ? demanda Ray. Les routes seront dangereuses.

– Ça va aller. Ma Jeep est faite pour ça.

– J'aimerais quand même mieux que tu partes pas, dit Ray. T'as pas dormi sous ce toit depuis pas loin de quarante ans. C'est trop.

– Pas ce soir », dit Parson.

Ray secoua la tête.

« Jamais j'aurais pensé que ça pourrait tourner comme ça. Ce monde, je le comprends plus. »

Martha prit la parole :

« Est-ce que Danny a dit où il habiterait ?

– Non », répondit Parson.

Il pivota sur ses talons pour partir.

« J'aimerais mieux être dans le mobile home cette nuit et savoir qu'il est à la maison. Savoir où il est, s'il est vivant ou mort, dit Martha alors que Parson tendait la main vers la poignée de la porte. T'avais pas le droit. »

Parson marcha vers la Jeep. Après quelques tentatives, le moteur tourna et il descendit l'allée. Seuls quelques tourbillons de neige ricochaient maintenant sur le pare-brise. Parson roula au pas et dut s'arrêter plusieurs fois et descendre de voiture pour retrouver la route au milieu du vide blanc. Une fois sorti de Chestnut Cove, il rattrapa un peu le temps perdu, mais il était minuit passé lorsqu'il regagna Tuckasegee. Son réveil était réglé sur sept heures et demie. Il le régla de nouveau, sur huit heures et demie. S'il était en retard pour ouvrir, de quelques minutes ou même d'une heure, cela n'aurait aucune importance. Quelle que soit l'heure à laquelle il se pointerait, ils seraient toujours là.

Des confédérés morts

J'ai jamais beaucoup aimé Wesley Davidson quand il était vivant, et c'était pas de le voir allongé mort à mes pieds qui changeait grand-chose. Que j'aie connu un gars depuis des années et que son trépas me touche pratiquement pas, ça pourrait vous donner une piètre opinion de moi, mais la vérité toute nue c'est que si vous aviez connu Wesley, vous seriez probablement pas plus touché que ça. Vous feriez peut-être ce que j'ai fait – jeter des pelletées de terre sur son corps sans même marmonner un petit bout de prière. L'enterrer sous une pierre tombale qui porte le nom d'un autre, les dates de naissance et de décès d'un autre gravés dans le marbre, moi et un vieux bonhomme les seuls qui sauront jamais que c'est là que Wesley Davidson gît sous la terre.

« J'ai comme l'impression que t'as besoin de te faire un peu de blé », il dit, Wesley, deux semaines plus tôt au boulot, ce qui est pas un grand secret puisque toute l'équipe est là, dans le parking du Service d'entretien du réseau routier, l'après-midi où le type de la banque vient me parler de mon découvert et dit qu'il est désolé que ma mère soye à l'hôpital sans couverture sociale mais que si je lui trouve pas bientôt un peu d'argent il saisira mon pick-up.

Dès que le type s'en va Wesley s'amène tranquillement vers moi.

Je fais celui qu'a pas entendu, pasque comme je l'ai dit j'ai jamais beaucoup aimé Wesley. C'est un baratineur mais pas grand-chose d'autre, toujours à se défausser de son boulot sur nous autres. Un gars corpulent, plus d'un mètre quatre-vingts et cent trente kilos facile, un bon gros ventre de truie qui ballotte d'un côté à l'autre quand l'idée lui vient de travailler. Mais c'est un spectacle qu'on voit rarement, pasque le plus souvent y s'appuie sur le manche d'une pelle ou y dort allongé à l'ombre. Son oncle, c'est notre chef d'équipe, et y laisse plus ou moins Wesley faire tout ce qu'y veut, comme de débarquer en retard, nous autres on a déjà tous pointé en arrivant, on est prêts à partir sur le chantier, et voilà la Ford Ranger de Wesley qui s'amène, une grande décalcomanie du drapeau des insurgés couvrant la vitre arrière. Wesley a toujours été à fond dans ces histoires de Confédération, il a une boucle de ceinturon des CSA*, un tatouage du drapeau sudiste sur le bras. Il porte aussi une casquette grise sudiste, il la porte au boulot. Y a pas de Noir dans notre équipe, y sont pas bien nombreux dans tout le comté, mais quand même, on n'est pas censé porter ce genre de truc. Mais avec son oncle aux manettes, Wesley s'en sort impunément.

« Tu veux gagner de l'argent sans te fouler, ou pas ? » il me dit plus tard, pendant la pause-déjeuner.

* Confederate States of America : États confédérés d'Amérique.

Il grogne et s'assoit à l'ombre à côté de moi pendant que je sors mon sandwich et ma pomme de ma boîte à repas. Wesley a trois petits pains ronds à la chair à saucisse dans un sac en papier, qu'il engloutit en à peu près trente secondes, ensuite il allume une cigarette. Moi je fume pas, et j'apprécie pas trop cette odeur-là quand je mange. Je pourrais le lui dire, je pourrais lui dire que j'aime bien déjeuner seul s'il l'a pas remarqué, mais me mettre Wesley à dos ça servirait qu'à me mettre mon chef à dos. D'ailleurs, c'est pas tout. Je suis prêt à écouter tous ceux qui pourraient m'aider à trouver des sous.

« Qu'est-ce que t'as en tête ? » je dis.

Il montre sa boucle de ceinturon des États confédérés.

« Tu sais combien ça vaut un truc comme ça, un vrai ?

– Non », je dis, alors que d'après moi ça peut coûter entre cinquante et cent dollars.

Wesley sort deux pages de catalogue bouchonnées de la poche arrière de son pantalon.

« Regarde là, il dit en me montrant une photo d'une boucle de ceinturon et le chiffre en dessous. Mille huit cents dollars », il dit, et il passe son doigt le long de la feuille. « Deux mille quatre cents. Mille deux cents. Quatre mille. » Il laisse son doigt là quelques secondes. « Quatre mille », il répète.

Y me fourre l'autre page sous le nez. Elle est pleine de boutons qui vont chercher dans les deux cents à mille dollars pièce.

« J'aurais pas cru que ça ferait autant, je dis.

– Je vais même pas te dire combien fait une épée. Tu te pisserais dessus, sinon.

– Et alors, quel rapport avec de l'argent que je peux gagner ?

– C'est que moi j'sais où on peut trouver des trucs comme ça, il dit, Wesley, en m'agitant le papier sous le nez. Les trouver là où comme y seront pas rouillés de partout y vaudront d'autant plus cher. Tu me files un coup de main et tu touches vingt-cinq pour cent. »

Et là je me dis qu'un de nos bulldozers est tombé sur quelque chose. Peut-être un coin où des soldats avaient monté un campement, ou bien s'étaient battus. Je me dis que c'est une filouterie, qu'y veut que je l'aide à acheter un détecteur de métal avec le peu d'argent qui me reste. Y doit penser que je suis un idiot de plouc pour marcher dans une combine pareille, et c'est ce que je lui dis.

Y se contente de me faire un sourire, un sourire qui dit que j'y comprends pas grand-chose.

« T'as une pelle et une pioche ? il demande. Ou la banque te les a aussi saisies ?

– J'ai une pelle et une pioche, je dis. Je sais aussi comment faire autre chose que m'appuyer dessus. »

Y me comprend mais y rigole, c'est tout, y me raconte ce qu'il a combiné dans sa tête. Je commence à répondre que jamais de la vie je ferais un truc pareil, mais y tend la main comme pour arrêter la circulation, et y me demande de lui épargner mon oui ou mon non jusqu'à ce que j'aie eu le temps de bien peser tout ça dans ma tête.

« J'veux pas entendre un seul mot jusqu'à demain, il dit. Songe donc que mille dollars, peut-être plus, ça te regonflerait un peu le portefeuille. Songe à ce que cet argent peut faire pour ta mère. »

Y dit ces mots sur maman en dernier, pasqu'y sait que pour moi cette idée-là va peser lourd, si y a rien d'autre qui marche.

En rentrant, je passe par l'hôpital. On me laisse voir maman un petit peu, et ensuite l'infirmière m'annonce qu'elle pourra revenir à la maison dans trois jours.

« Elle est encore pleine de vitalité », elle me dit dans le couloir.

C'est une bonne nouvelle, meilleure que prévue. Je descends au bureau de facturation et là les nouvelles sont pas aussi bonnes. J'ai beau avoir déjà payé trois mille dollars, j'en devrai encore quatre mille quand maman sortira d'ici.

Je retourne à mon mobile home et y a rien qui peut m'empêcher de réfléchir à cet argent que Wesley y m'a baratiné avec. Je pense que papa est mort à la tâche avant ses soixante ans et que maman a vécu assez longtemps pour apprendre que cinquante ans à travailler du lever du jour à l'heure d'aller se coucher vous permet pas d'avoir de quoi payer une opération et un séjour de deux semaines à l'hôpital. Je me demande où est la justice dans tout ça quand y a des types qui font rien que bien taper dans un ballon ou en lancer un dans un panier qui vivent dans des châteaux et pourraient carrément s'acheter un hôpital en cas de besoin. Je pense aux grandes maisons bâties à Wolf Laurel par des médecins et des banquiers de Charlotte et de Raleigh. Des résidences secondaires, qu'on les appelle, pourtant y en a qui valent un million de dollars. On pourrait rétorquer qu'y z'ont travaillé dur pour se les payer, ces maisons, mais pas plus dur que papa et maman y z'ont travaillé.

Au petit jour je sais pour de bon que je vais le faire. Quand je l'annonce à Wesley pendant notre pause du matin il sourit.

« C'est bien ce que je pensais, il dit.

– Quand ?

– La nuit, bien sûr. Une nuit claire où la lune est pleine. Comme ça on se trahira pas avec une lampe électrique. »

Savoir qu'il a assez réfléchi au truc pour tirer profit du clair de lune me donne un peu confiance en lui, me fait penser que ça pourrait marcher. Pasque c'est l'autre truc qui me tracasse à part décider si c'est bien ou mal. Si jamais on se fait pincer c'est sûr qu'on finira en prison.

« Cette affaire-là j'y ai pensé et je l'ai tournée et retournée dans tous les sens, il dit, Wesley. J'ai exploré les cimetières d'ici jusqu'à Flag Pond en cherchant les bonnes tombes, celles qui sont à des officiers. Je me dis que plus le grade y sera haut plus on a des chances qu'y aura un butin, peut-être même une épée. Finalement je me suis déniché deux lieutenants. Jamais j'ai pensé que je dénicherais un général. D'après ce que j'ai lu, ceux qu'étaient au poste de général y venaient presque tous de Virginie. J'ai trouvé des soldats yankees aussi dans ces cimetières, et même un capitaine.

– Un capitaine c'est au-dessus d'un lieutenant, non ? je demande.

– Ouais, mais les gars qu'achètent ces trucs-là y payent le double quand c'est l'armée confédérée.

– Et ça se vend facilement ? Je veux dire, pas besoin de passer par un fourgue ou quoi que ce soit ?

– Bon Dieu, non ! Y font des grandes foires de vente et d'échange partout. Y en a une à Asheville le mois qui vient. Tu leur montres ce que t'as et ils ouvrent leur portefeuille et t'envoient la monnaie. »

Et puis y se tait un instant, pasqu'y commence à se rendre compte que tout ça a l'air bougrement simple et que je risque de me mettre à calculer la part qui me revient. Y pose ses grandes dents jaunes sur sa lèvre du bas, et se creuse la cervelle pour trouver comment revenir un peu sur ce qu'y vient de dire.

« Bien sûr, y z'iront pas payer le prix que je t'ai montré là sur ces feuilles. On aura de la chance si on en tire la moitié. »

Je sais que c'est un mensonge avant qu'y soye sorti de la bouche à Wesley, mais je dis rien, je sais juste que je serai sacrément là avec lui quand y vendra ce qu'on va trouver.

« Et maintenant on fait quoi ? je demande.

– On attend une nuit claire et une bonne grosse pleine lune, il dit, Wesley, en levant les yeux vers le ciel comme s'il s'attendait à en voir une apparaître d'une minute à l'autre. Et d'une. Et de deux tu la boucles. J'ai parlé à personne d'autre de cette affaire-là et je veux pas que ça change. »

Attendre c'est ce qu'on fait pendant deux semaines, pasque ce premier soir dans ma cour quand je lève la tête vers le ciel la lune est toute maigrelette et a pas l'air de grand-chose de plus qu'un truc à quoi on suspendrait un manteau. Chaque soir je regarde la lune se remplir comme un grand bol, chasser les ombres du champ et les repousser plus près des arbres. Maman est rentrée à la maison et elle va bien, elle reprend du poil de la bête. À l'hôpital y disent qu'elle aura droit à la couverture médicale d'ici janvier, et voilà qui est bien. Ça veut dire que je peux aller avec Wesley rien que pour cette fois, régler cette facture d'hôpital, et en avoir fini avec toute cette histoire.

Finalement la bonne nuit arrive, la pleine lune qui vient se poser tout contre le monde. Une « lune de chasseur », il appelait ça mon père, et c'est pas difficile de voir pourquoi, pasqu'une lune comme ça, ça aide vraiment pour vadrouiller dans les bois.

Vadrouiller dans un cimetière aussi, pasque à dix heures du soir c'est ce qu'on est en train de faire. On a caché son pick-up un peu plus loin que l'entrée, dans une aire qui sert à manœuvrer et où, du moins la nuit, personne risque trop de le voir. On prend pas le portail pasque c'est là qu'y a la cabane au gardien. Mais on suit la clôture qui grimpe le long d'une colline en passant sous des arbres, une pioche et une pelle dans mes mains et rien dans celles de Wesley à part un drap de lit. C'est la fin octobre et l'air a un petit goût de propre. Y a des feuilles qui sont tombées et des glands et y me craquent sous les pieds, et chacun me donne l'impression de claquer aussi fort qu'un .22. Je sens une petite odeur de poêle à bois et je repère la lampe de la galerie.

« Y t'inquiète pas un peu, le gardien ? je demande.

– Bon Dieu, non. Il a pas loin de quatre-vingts ans. Y doit dormir depuis sept heures du soir.

– Il aurait pas de feu allumé s'il dormait.

– Ce vieux bonhomme y va pas nous embêter », affirme Wesley, qui le dit comme si ça suffisait pour que l'affaire soye entendue.

Et nous voilà bientôt passant entre les pierres tombales, la lune plus brillante maintenant qu'on est à découvert. Sa clarté se dépose tout argentée sur le granit et sur le marbre, aussi sur le sol. C'est plus silencieux par ici, plus de glands ni de feuilles, rien que de l'herbe moelleuse comme sur un parcours de golf. Mais c'est trop silencieux, de façon un peu sinistre. Pasqu'on sait qu'y a des gens ici, des centaines de gens, et qu'y en a pas un seul qui prononcera encore un mot sur cette terre. Tout ce qu'on entend c'est Wesley qui respire et qui grogne. On a même pas fait un kilomètre et il peine déjà. Une voiture remonte la route, ses phares balayent quelques pierres tombales quand elle aborde le virage. Elle ralentit pas mais continue vers Marshall.

« Faut que je reprenne haleine », il dit, Wesley, et on s'arrête une minute.

On est sur une crête maintenant, et je vois toute une flopée d'étoiles éparpillées dans le ciel. Une nuit comme y en a pas de plus claires, et je me dis que c'est pas difficile pour Dieu de me voir de là-haut. Cette idée me tracasse un peu, mais c'est bien plus facile d'avoir un jugement sur un truc si on le voit entièrement en bien ou entièrement en mal. Faire ce qu'on est en train de faire c'est un péché, certainement, mais pas s'occuper de celle qui vous a enfanté et élevé, c'est un péché pis encore. Voilà ce que je me dis en tout cas.

« C'est plus très loin », il dit, Wesley, davantage pour lui que pour moi.

Y secoue les épaules comme un cheval de labour qui se met plus à l'aise dans ses traits d'attelage, et redescend l'autre côté de la colline jusqu'à temps d'arriver là où un petit drapeau confédéré est planté à côté d'une pierre tombale en marbre.

« Sympas, les vieilles pies de l'Union des filles de la Confédération, de baliser le coin pour nous », il dit, Wesley.

Il arrache le drapeau et le balance derrière la pierre comme si c'était rien qu'une mauvaise herbe. Il allume son briquet et prononce les mots à voix haute comme si je pouvais pas les lire tout seul :

« *Lieutenant Gerald Ross Witherspoon. 25e régiment de Caroline du Nord. Né le 12 novembre 1820. Mort le 20 janvier 1890.* Déterré le 26 octobre 2007 », il ajoute, Wesley, en s'étranglant de rire. Il allume une cigarette et s'assoit à côté de la tombe. « Tu ferais mieux de t'y mettre. On a toute la nuit mais pas une heure de plus.

– Et toi, alors ? je demande. Je vais pas me taper de creuser tout seul.

– On ferait rien d'autre que se gêner si on travaillait en équipe », il dit, Wesley, et puis il tire à fond sur sa cigarette. « T'en fais pas, fiston. Je vais te relayer illico. »

Je lève ma pioche et je m'y mets. La pluie de la veille a laissé une gadoue grasse, alors la terre de dessus se brise sans peine comme de la sciure mouillée. Je prends la pelle et je jette ce que j'ai dégagé sur l'herbe.

« Ça va se voir qu'on a creusé », je remarque en m'arrêtant pour reprendre haleine.

Et c'est une nouvelle idée qui me vient, pasque jusque-là je m'étais plus ou moins dit que, si on nous pinçait pas dans le cimetière, une fois rentrés chez nous on serait tranquilles. Mais deux grands trous c'est sûr que la police va aller chercher qui les a creusés.

« Et nous on sera plus là depuis longtemps, il dit, Wesley.

– Ça t'inquiète pas ? » je dis, pasque brusquement moi ça m'inquiète.

Quelqu'un pourrait voir le pick-up à l'aller ou au retour. On pourrait laisser tomber un truc dans le noir et même pas savoir qu'on l'a oublié là.

« Non, il dit, Wesley. La police va aller s'imaginer que c'est des vaudous adorateurs du diable. Elle songera pas à inquiéter d'honnêtes citoyens comme nous. » Il enflamme son briquet et allume une autre cigarette. « On ferait mieux de s'y remettre, il dit en montrant de la tête la pioche dans ma main.

– Je vois pas de *on* là-dedans, je remarque.

– Comme j'ai dit, je vais te relayer illico. »

Mais illico finalement c'est longtemps après. Quand le trou m'arrive à hauteur de poitrine je sais que je suis descendu à quatre bons pieds et lui il a toujours pas bougé son cul. Je dégouline de sueur et j'ai des rangs entiers d'ampoules qui lèvent dans mes paumes. Je vais pour dire à Wesley que j'ai creusé quatre pieds et qu'y peut au moins en creuser deux quand la pioche heurte du bois. Y a une grosse écharde qui vole, et c'est du cèdre, le bois qui risque le moins de pourrir, j'ai toujours entendu dire. Je me demande un instant pourquoi cette tombe elle est pas à six pieds sous terre, et puis je repense à la date sur la pierre. Fin janvier, le sol il devait être dur comme du fer. C'était facile de trouver que quatre pieds ça suffisait bien.

« Touché », je dis.

Alors Wesley il se lève.

« Creuse donc un peu autour pour qu'on ait la place de l'ouvrir. »

Je fais ce qu'y me dit, et je dégage une bonne trentaine de centimètres d'un côté.

« Je vais te relayer », il dit, et y se glisse dans le trou avec moi. « Ça serait peut-être mieux si tu sortais », il ajoute en ramassant la pelle.

Mais alors là pas question pasque ça m'étonnerait pas de lui qu'y se fourre dans la poche ce qu'y pourrait trouver.

« C'est pas mon genre de vouloir te cacher quelque chose », il dit, la preuve que c'était exactement ce qu'il avait en tête.

On se faufile de biais comme si on était sur le bord d'une falaise pour descendre du cercueil. Et puis Wesley prend la pelle et force le couvercle.

La lune peut pas déposer sa clarté dans le trou aussi bien qu'à plat sur le sol alors au début c'est dur de bien y voir. Y a une chemise en soie qui, on s'en rend compte encore maintenant, était blanche et un ceinturon et sa boucle et des vieux souliers moisis, mais ce qui autrefois remplissait les souliers et la chemise paraît pas beaucoup plus que le vent gonflant une chemise sur une corde à linge. Wesley soulève le vêtement du bout de sa pelle et de la poussière et des os qui ont la couleur du bambou desséché s'éparpillent. Il jette sa pelle hors du trou et allume son briquet.

Il tient le briquet près de la boucle de ceinturon. Y a de la rouille dessus, mais on aperçoit *CS* embouti dans le métal, pas *CSA*. Wesley soulève la boucle et en détache le peu de ceinturon qui reste.

« Elle est bien, il dit, mais pas franchement ce qu'y a de mieux.

– Combien tu crois qu'elle vaut ?

– Mille dollars maxi », il dit, Wesley, après l'avoir bien reluquée.

Je me dis que le vrai prix ça doit être le double, mais je serai là au moment du marchandage alors c'est pas la peine de se disputer maintenant.

Wesley pousse un grognement et se met à genoux pour bien examiner la chemise, vérifie même dans ce qui reste des souliers.

« Y a rien d'autre », il dit, et y se relève.

Je me hisse hors du trou mais c'est pas aussi facile pour Wesley. Malgré que le trou y soye profond que de quatre pieds il arrive pas à se sortir de là. À mi-hauteur y dérape et y retombe au fond, en haletant comme un chien.

« Va me falloir ta main, il dit. J'suis pas une grande perche comme toi. »

Je tire fort et Wesley se vautre hors du trou, des grains de terre partout sur sa chemise et son pantalon. Y met la boucle dans le drap et y fait un nœud.

« L'autre, elle est par là », il dit, et de la tête y désigne la cabane au gardien. Y remonte sa manche et consulte sa montre. « Une heure un quart. On est dans les temps. »

On se met à descendre la colline, en zigzaguant entre les pierres tombales qui font comme un labyrinthe. Et puis un nuage vient embarbouiller la lune et les étoiles donnent pas assez de clarté pour qu'on voye nos pieds. On s'arrête et y me vient une fâcheuse pensée de quelque chose retenant là ce nuage tout le reste de la nuit, de Wesley et moi nous cognant aux tombes et perdant nos repères, piégés dans ce cimetière jusqu'à l'aube quand n'importe qui sur la route pourrait nous voir et aussi le pick-up.

Mais la lune tarde pas à se débarrasser du nuage et on repart, pas plus de cinquante mètres entre la cabane du gardien et nous quand on s'arrête. On est assez près pour voir que la lumière qui brillait c'est la lampe de sa galerie à l'arrière de la maison. Wesley allume son briquet et approche la flamme de la tombe pour vérifier que c'est la bonne et je vois que la pierre est en même temps pour le lieutenant Hutchinson et son épouse. Son nom à lui est sur la gauche alors c'est pas bien compliqué de deviner que c'est le côté où il est.

« *1864*, il dit, Wesley, en amenant le briquet plus près de la pierre. Je suppose qu'un officier tué à la guerre, certainement qu'on l'enterrait dans son uniforme. »

Je prends la pioche et la pelle dans ma main droite et je les incline vers Wesley.

« À toi, je dis.

– Je pensais que tu pourrais bien nous démarrer ce trou et qu'après je te remplacerais.

– J'ferai le plus gros, je dis, mais j'fais pas tout. »

Wesley voit que je compte pas bouger et y tend la main vers la pioche. Y fait ça un peu à la légère et le bout pointu de la pioche vient toquer contre la pelle. Un chien se met à aboyer chez le gardien et je suis prêt à courir à fond de train vers le pick-up mais Wesley me fait « Chut ».

« Attends donc une minute », il dit.

On reste plantés là aussi immobiles que les pierres autour de nous. Aucune lumière s'allume dans la cabane, et le chien se tait illico.

« Ça va », il dit, Wesley, et il commence à piocher.

Il travaille en quatrième vitesse et je sais que, comme moi, y veut en avoir terminé rapidement.

« J'vais ameublir la terre et toi tu la dégages à la pelle, il dit, à bout de souffle, les veines de son cou gonflées comme si y avait un nœud coulant passé autour. On ira plus vite comme ça. »

Marrant que t'y aies pas pensé avant que ça soye ton tour de creuser, je me dis, mais ce chien il a déchaîné ma peur plus qu'à n'importe quel autre moment depuis qu'on est arrivés. Je prends la pelle et à nous deux on fait voler la terre, Wesley abattant plus de boulot en un quart d'heure qu'en douze ans à bosser sur les routes. Et moi je le lâche pas, tous les deux on se donne tellement à fond qu'y faut qu'on entende un grognement pour qu'on se retourne et qu'on voye qu'on est pas tout seuls.

« Qu'est-ce que vous fabriquez, les gars ? » il demande, le vieux bonhomme, en agitant son fusil dans notre direction.

Le chien est assis sur son derrière à côté de lui, il est gros, il a le poil raide et on dirait qu'il attend qu'un mot pour plonger ses dents dans notre personne.

« J'ai dit : qu'est-ce que vous fabriquez, les gars ? » il nous redemande, le vieux.

Quel genre de réponse donner à cette question, c'est tout autant hors de ma portée que la lune là-haut dans le ciel. Pendant quelques instants c'est aussi hors de la portée de Wesley mais bientôt il ouvre la bouche, et y crache quelques mots comme on cracherait une bonne giclée de jus de chique.

« On savait pas qu'y avait une loi contre », il dit.

Plus bête que ça il aurait pas pu trouver. Le vieux bonhomme glousse.

« Y en a plusieurs, et vous les apprendrez toutes aussitôt que j'aurai fait monter le shérif ici. »

Je songe à filer ventre à terre avant ça, à tenter ma chance avec le chien et la visée du vieux s'il décide de tirer, pasque de mon point de vue un séjour en prison ça serait pire que tout ce que ce chien ou ce vieux bonhomme pourraient me faire.

« Pas la peine d'appeler le shérif », il dit, Wesley.

Y sort du trou de deux pieds qu'on a creusé, se rapproche du vieux bonhomme. Le chien grogne tout au fond dans sa gorge, un son qui dit Viens donc pas te balader plus près sauf si tu veux sortir de ce cimetière en traînant la patte. Wesley prend le chien au sérieux et s'approche pas davantage.

« Et comment ça ? il dit, le vieux. Tu proposes quoi pour me faire croire que j'ai pas besoin d'appeler la police ?

– J'ai un billet de dix dollars dans mon portefeuille avec ton nom d'écrit dessus », il dit, Wesley.

Et c'est tout juste si je rigole pas de son culot. On a un fusil pointé sur nous et Wesley y propose au type un marché minable.

« Va falloir faire mieux que ça, il dit, le vieux.

– Alors vingt dollars, il dit, Wesley. J'te jure mes grands dieux que c'est tout ce que j'ai sur moi. »

Le vieux bonhomme réfléchit un instant à la proposition.

« Donne-moi le fric », il dit.

Wesley sort son portefeuille, le penche pour que le vieux y voye pas autre chose que le billet de vingt dollars qu'il en tire. Y tend le billet au vieux bonhomme.

« Tu peux parler de cette histoire à personne, il dit, Wesley. Y a que nous trois à savoir.

– Et à qui veux-tu que j'aille déballer ça ? il dit, le vieux. Au cas où t'aurais pas remarqué, mes voisins sont pas du genre causant. »

Le vieux bonhomme lorgne le billet de vingt, avec l'air de s'imaginer que c'est un faux. Et puis il le plie et le glisse dans la poche plastron de sa salopette.

« Sûr que tu pourrais doubler la somme facile, il dit, Wesley, sans faire rien d'autre que nous laisser creuser encore un petit peu. »

Le vieux bonhomme écoute l'offre de Wesley mais y se prononce pas.

« Quesse vous avez donc vous autres à gratter comme ça ? Vous êtes après un trésor enfoui ? il dit.

– Juste des machins de la guerre de Sécession, des boucles de ceinturon et tout, il dit, Wesley. C'est pas pour l'argent, ça serait plutôt un truc sentimental. Mon arrière-arrière-grand-papa, y s'est battu côté confédérés. J'ai toujours été du genre à honorer ceux qui sont venus avant moi.

– En pillant leurs tombes, il dit, le vieux. T'as une bien belle façon de les honorer.

– Je porte les affaires qu'y peuvent plus porter, en les sortant de la terre pour les ramener au temps d'aujourd'hui. Regarde donc», il dit, Wesley. Y dénoue le drap et tend la boucle au vieux. «Je vais bien l'astiquer et je la porterai fièrement, je la porterai pas seulement pour mon arrière-arrière-grand-papa mais pour tous ceux qui ont combattu pour une noble cause.»

Jamais j'ai vu un politicien mentir mieux que ça, pasque Wesley y sort son boniment en supposant que le vieux y sait pas combien elle vaut, la boucle. Et ça se pourrait bien vu que moi j'en avais pas la moindre idée avant qu'y me montre les prix.

Le vieux, y sort une lampe-torche de sa salopette. Y pose sa lumière sur la pierre.

«*Le Soixante-quatrième de Caroline du Nord*, y lit sur la pierre. Ma famille s'est ralliée à l'Union, dans ce même comté, il dit, le vieux. Des tas de gens s'embarrassent plus de le savoir, mais y en a eu autant dans ces montagnes qui se sont battus côté Union que côté confédérés. Le 64e il a fait bien des misères par ici en ce temps-là. Les gars, y pouvaient tirer sur un homme sans arme et y se gênaient pas pour donner le fouet aux femmes. Ma grand-mère m'a tout raconté. Une de ces femmes-là qu'y z'ont fouettées c'était sa propre mère. J'ai lu là-dessus plus tard. V'là comment je le sais que c'était le 64e.»

Le vieux éteint la lampe, il la fourre dans sa poche et y tire une montre d'autrefois, de celles qu'ont une chaîne après. Il l'ouvre et y lit l'heure à la lueur de la lune.

« Deux heures et demie, il dit. Allez-y, les gars, déterrez-le. Peut-être bien que c'est lui qu'a sanglé ma grand-mère. Comme je vois ça, moi, son âme elle est bien plus profond, très loin en enfer. »

Le vieux recule de quelques pas et va percher son postérieur sur une pierre tombale qu'est plate au sommet, à côté de là où on creuse. Le fusil est posé au creux de son bras.

« C'est pas la peine que ce fusil y soye pointé sur nous, il dit, Wesley. Ces machins-là ça peut partir tout seul des fois. »

Le vieux laisse le canon de l'arme là où il est.

« J'crois pas encore avoir entendu la vérité passer sur tes lèvres, il répond à Wesley. J'te croirai mieux s'il est pointé sur toi. »

On se remet à creuser, de plus en plus tassés l'un contre l'autre à mesure que le trou y devient plus profond, mais au moins on a plus à s'inquiéter pour le bruit. On est descendus à quatre bons pieds quand Wesley y s'arrête et il appuie son dos contre le bord du trou.

« Je peux plus travailler », il dit, et y lui faut trois respirations rien que pour sortir ces quatre mots-là. « Je me suis fait un truc au bras. »

Ouais, tu parles, que je pense, mais quand je le regarde je vois bien qu'il a mal. Y suffoque et y dégouline de sueur comme si c'était midi au mois de juillet.

Le vieux, y descend de son perchoir pour jeter lui aussi un coup d'œil à Wesley.

« C'est que tu m'as l'air vidé », il dit, le vieux bonhomme.

Mais Wesley y prend pas la peine de lui répondre, y ferme les yeux et y s'appuie plus fort contre le bord de la tombe.

« Faut que tu sortes de là, je lui dis. Ça te ferait peut-être du bien de respirer de l'air plus frais.

– Non », il dit en ouvrant un peu les yeux.

Je sais bien pourquoi qu'y répond ça. Y sortira pas tant qu'il aura pas vu ce qu'y a dans le cercueil qu'on est en train de déterrer.

C'est peut-être pasque le lieutenant Hutchinson il a été enseveli en mai et pas en janvier, mais pour une raison ou pour une autre on dirait bien qu'il a eu droit à ses six pieds. Le trou m'arrive à la hauteur du cou et j'ai toujours pas heurté de bois.

Le vieux il est toujours au-dessus de moi, y tend son visage ridé par-dessus le trou comme si y regardait dans un puits.

« T'es pas bien causant, toi, hein ? il me dit. Ou alors c'est que ton copain te laisse pas en placer une.

– Non », je dis en lançant une pelletée de terre hors du trou.

Ça devient plus dur maintenant après cinq heures passées à creuser et à la flanquer dehors. Mon dos me fait mal et mes bras on dirait que c'est de la mélasse.

« À quel *non* tu te rallies ? il dit, le vieux.

– Non, je cause pas beaucoup.

– T'en veux une pour la porter, de boucle, ou t'es là rien que pour le plaisir de fiche de la terre en l'air toute la nuit ?

– Juste là pour creuser», je réponds, content quand y dit plus rien d'autre.

Y me reste déjà guère d'entrain pour aller le gaspiller à bavasser.

Je lève la pioche encore une fois et je tombe sur un truc tellement dur que le choc m'arrache presque le manche des mains. La secousse me remonte dans les bras et me descend le long de la colonne vertébrale comme si j'avais touché une clôture électrique. Je me dis que ça doit être une grosse pierre qu'y va falloir déloger avant d'atteindre le cercueil. L'idée de me colleter avec une pierre me fatigue tellement que j'ai envie de me coucher par terre et de tout arrêter.

« C'est quoi ? » il demande, le vieux.

Wesley ouvre les yeux, me regarde prendre la pelle et gratter la terre pour mieux y voir.

Mais c'est pas un caillou. C'est un cercueil, un cercueil en fonte. Wesley s'aplatit un peu plus contre la paroi pour que j'arrive à dégager davantage de terre, et moi ce que je pense c'est que celui qui a dû transbahuter ce cercueil il a dégusté, pasque le fourneau en fonte à maman y doit pas être plus léger, et qu'il a fallu quatre hommes adultes pour le tirer d'un côté à l'autre de la cuisine.

« J'ai toujours entendu dire qu'y en avait plusieurs dans ce cimetière, il dit, le vieux, mais je pensais pas que j'en verrais un. »

Le cercueil ragaillardit un peu Wesley. Je creuse un espace suffisant sur le côté pour poser mes pieds et qu'y soyent pas sur le couvercle. La rouille l'a soudé, alors je prends le bout aplati de la pioche et je soulève comme on ferait avec un pied-de-biche pour une fenêtre bloquée. Je manque briser le manche de mon outil, pourtant ça finit par céder. Je me mets accroupi mais j'arrive pas à soulever le dessus à moi tout seul.

« Faut que tu m'aides », je préviens Wesley, et y vient s'accroupir à côté de moi.

C'est pas une opération facile et faut qu'on recule dare-dare tous les deux dans quasiment rien de place pour empêcher le couvercle de nous filer sur les pieds. Dès qu'on l'a enlevé, Wesley, y pose sa main gauche sur son épaule droite et je me dis que c'est un genre de salut, mais alors y se met à se frotter le bras et l'épaule comme s'il les sentait plus.

« Seigneur Dieu », il dit, le vieux, et Wesley et moi on s'écarte un peu pour aller se mettre où on pourra bien y voir nous aussi.

Contrairement à l'autre, là ça se connaît que c'était un homme. Les os se tiennent presque tous et y a même une touffe de cheveux roux sur son crâne. On voit aussi qu'il a un uniforme, en loques, mais ce qui reste du pantalon et de la tunique est bis. Je jette un coup d'œil à Wesley, et lui, y voit rien sauf ce qui est en métal.

Y a vraiment de quoi lui en mettre plein les yeux. Y a là une boucle de ceinturon sans rien d'autre dessus qu'une griffure de rouille. Des boutons aussi, à vue de nez une demi-douzaine. Mais c'est pas le mieux. Le mieux est posé à côté du squelette, une bonne grosse vieille épée et son fourreau Wesley tend la main pour la prendre. L'épée est collée par la rouille, mais après avoir tiré fort dessus une ou deux fois elle commence à venir. À force de grognements, Wesley, y finit par la sortir. Il la tient devant lui et je vois qu'y calcule combien elle va rapporter et le sourire sur son visage et ses yeux qui s'éclairent indiquent vraiment un très bon prix. Et puis tout à coup y voit quelque chose d'autre, et ce qu'y voit lui donne plus tant l'idée de sourire. Y laisse échapper l'épée et y revient s'adosser contre la paroi de la tombe, les pieds toujours dans le cercueil. Et puis y s'affaisse, le dos contre la terre mais la moitié du bas dans le cercueil, assis comme un type dans une barque à fond plat. Ses yeux, y sont toujours ouverts mais dedans y a pas plus de lumière qu'au fond d'un puits de mine.

« Regarde donc si son pouls bat », il dit, le vieux.

Je me rapproche de Wesley en posant le pied sur le cercueil pour pas marcher sur le squelette. Je me saisis de son poignet mais y a pas plus de vie là que dans ses yeux.

Je reste comme ça une minute. Toutes les fois que j'ai été dans le pétrin c'était comme être le roi du monde comparé à là où je suis maintenant. J'ai pas la plus petite idée de ce qu'y faut faire. Je suis pas loin de demander au vieux de pointer ce fusil sur moi et de presser sur la détente vu que ma cervelle propose pas de meilleure solution.

« Je crois pas qu'y va se pavaner et jouer au petit soldat sudiste avec son épée et sa boucle de ceinturon », il dit, le vieux. Y me regarde et il a pas grand mal à deviner mes sentiments. « Tu devrais pas avoir les pétoches à cause de cette histoire, il dit. Qu'y meure comme ça c'est peut-être bien pour le mieux.

– Et comment donc ? » je demande, pasque je vois vraiment pas les choses de même.

« Et si y disait vrai quand il a juré qu'on était que nous trois à savoir ça ? il dit, le vieux.

– J'en ai jamais soufflé mot.

– J'en doute pas, il dit, le vieux. À ce que je vois, tu dis rien sauf si on te l'arrache de la bouche comme une dent.

– J'crois pas qu'il aurait parlé de ça. Y en a pas beaucoup qu'auraient pensé du bien de lui autrement, et y en a même qu'auraient été le raconter à la police. Je le vois pas prendre le risque.

– Alors je dirais qu'il a aidé à creuser sa propre tombe. Costaud comme il est, je crois pas que tu pourrais le sortir de là tout seul et moi je suis bougrement trop vieux pour t'aider.

– Peut-être bien qu'on pourrait prendre une corde. Le tirer de là comme ça.

– Et même… il dit, le vieux. Tu crois que tu peux traîner ce quartier de lard derrière toi comme un petit chariot rouge de gamin. Et si t'y arrives, où que c'est que tu vas avec lui ? »

C'est une sacrément bonne question, pasque d'ici au pick-up y a pas loin d'un kilomètre. Je m'en sortirais mieux en me trimballant une pierre tombale jusque là-bas.

« Ça me semble pas être correct, ça. Je veux dire pour sa famille et tout, de pas savoir jamais où ce qu'il est enterré.

– Ceux qu'ont l'étoile épinglée sur la poitrine c'est pas toujours les plus futés, mais y z'auront pas besoin d'être fins comme le gros sel pour piger ce que lui et toi vous bricoliez s'ils le trouvent ici. » Le vieux marque un temps. « Le pick-up, là, il est à lui ou à toi ?

– À lui.

– Alors tu le laisses près de la rivière et le pire qu'on ira raconter sur ton copain c'est qu'il a été assez bête pour prendre une cuite et tomber à l'eau. Tu ramènes la police par ici et elle saura que c'était un pilleur de tombes. Comment tu crois que sa famille elle aimera mieux se souvenir de lui ? »

Le vieux bonhomme, y réduit le problème à une seule voie à suivre. Je tâche de trouver une bonne parade, mais je suis trop claqué pour imaginer quoi que ce soit. Le vieux sort sa montre.

« Il est pas loin de quatre heures. Tu te mets à reboucher maintenant et tu pourrais avoir remblayé cette tombe au petit matin.

– C'est deux tombes qu'y a à reboucher. On en a ouvert une autre plus loin, là-haut sur la colline.

– Bon, remets-y autant de terre que possible. Même bien rebouchées elles auront un petit air bizarre avec toute cette terre fraîche dessus. Faudra que je trouve une histoire à dormir debout pour ceux qui risqueraient de le remarquer, mais j'ai écouté ton copain toute la nuit alors j'ai glané quelques bons tuyaux sur la façon de mentir. »

Je regarde l'épée et je me dis que la lame a peut-être tué un homme pendant la guerre de Sécession et à sa façon en a tué un autre ce soir, du moins c'est de l'avoir voulue qui l'a tué.

« Y mentait quand y disait que ces affaires-là ça vaut pas cher, je dis. J'en ai besoin de cet argent, alors je vais la vendre, mais je ferai moitié-moitié avec vous.

– Garde donc les sous pour toi, il dit, le vieux. Je vais prendre ce qu'y a dans le portefeuille de ton associé. Il en aura pas plus besoin que le lieutenant de son épée. »

Je sors le portefeuille de la poche arrière de Wesley, je le donne au vieux. Il en tire un billet de dix dollars et deux de vingt.

« Je savais bien qu'y mentait cet enfant de salaud quand y disait qu'il avait plus un sou », il dit, et puis y renvoie le portefeuille dans le trou.

Je lui tends l'épée et le fourreau et puis la boucle et les boutons. Je pense que ça serait drôlement facile pour lui de presser sur la détente et de me descendre. Il se penche plus près du trou et je vois qu'il a toujours son fusil à la main et je me demande s'il pense pas comme moi, pasque ça serait aussi simple que de tirer sur un rat dans une bassine. Y se baisse pour se mettre sur ses vieux genoux qui craquent, et je suppose qu'y voit bien que j'ai peur pasqu'y pose le fusil et y me fait un sourire.

« Je comptais t'aider à te sortir de là, c'est tout », il dit, et y me tend la main. « Mais va donc pas m'entraîner là-dedans avec toi. »

J'attrape sa main, une forte poigne malgré son grand âge, et le bras tendu je pose mon autre main sur le bord de la tombe. Une bonne traction et me voilà dehors.

Je vais prendre la pelle et je me mets à remblayer, mort de fatigue mais sans lambiner pasque je me dis que si c'est pas fait j'aurai largement le temps en prison de le regretter. Au reste, c'est toujours moins dur de balancer de la terre vers le bas que vers le haut. Je remplis le trou et je m'en vais à l'autre tombe, la pelle et la pioche dans une main et l'épée et le drap dans l'autre. Le vieux bonhomme et son chien me suivent. Je l'ai à moitié remplie avant que le rose du petit matin effleure Bluff Mountain.

« Maintenant faut que j'y alle, je dis. L'aube est plus bien loin.

– Alors laisse la pelle, il dit, le vieux. Je peux finir de reboucher. Et puis je planterai des chrysanthèmes sur les tombes, ça sera la raison que la terre elle a été remuée. »

J'ai pas le projet de vérifier si c'est bien ce qu'il a fait. Mon projet c'est de pas revenir sauf si on me ramène ici dans une caisse.

Je redescends la colline. C'est dimanche alors je vois pas un chat sur la route. Je gare le pick-up près de la rivière, à pas plus d'un kilomètre et demi de Marshall. Je sors mon mouchoir et je donne un bon coup de chiffon au volant et à la poignée de la portière. Et puis je détale sans quitter les bois jusqu'à temps d'arriver aux abords de la ville.

Je me tiens accroupi là jusqu'au grand jour, en me disant que tout a bien marché comme j'aurais pu le souhaiter. On retrouvera bientôt le pick-up, mais personne m'a repéré dans le coin. Wesley et moi jamais on a été copains, jamais on a fait la tournée des bars ensemble ni rien, alors on va pas aller s'imaginer que j'étais dans ce pick-up hier soir. Je cache l'épée et le drap sous des feuilles pour les récupérer plus tard. Quand je traverse la route en face du Jackson's Café, je me dis que je suis sorti d'affaire.

Mais je reste prudent. J'entre pas, j'attends auprès d'un bouquet d'arbres jusqu'à ce que je voye Timmy Shackleford sortir. Il habite pas loin de chez moi et j'entre dans le parking et je demande si ça le dérangerait pas de me ramener à mon mobile home.

« On dirait que la nuit a été rude », il dit, Timmy.

Je regarde dans le rétroviseur et j'ai vraiment une sale tête.

« Je me suis pris une muflée qui m'a mis à quatre pattes. La dernière chose que je me souviens j'étais dans une bagnole avec une bande de gars et j'ai dit que j'avais besoin de pisser. Y m'ont fichu sur le bord de la route et y sont partis en rigolant. Et après, v'là-t-y pas que je me réveille dans un fossé. »

C'est un meilleur mensonge que ce que j'aurais cru être capable d'inventer, et je me dis que j'ai glané des tuyaux chez Wesley.

Timmy sourit mais y dit rien d'autre. Y me dépose à mon mobile home et y s'en va. Je meurs de faim et je trimballe assez de terre sur moi pour planter un jardin, mais je fais rien que m'écrouler dans mon lit et j'ouvre pas les yeux avant que dehors y fasse nuit noire.

Quand je me réveille c'est avec ce qui y a de pire comme peur, et pendant un petit moment je suis plus effrayé que jamais je l'ai été de toute ma vie. Et puis mon esprit se calme et je vois que je suis dans le mobile home, et pas encore dans ce cimetière.

Le lundi au boulot j'entends dire qu'on a retrouvé le pick-up de Wesley près de la rivière, et quasiment tout le monde pense qu'il était là-bas à pêcher ou à picoler ou bien les deux et qu'il est tombé et qu'y s'est noyé. On drague la rivière pendant des jours mais bien sûr on trouve rien.

J'attends un mois avant d'essayer de vendre les trucs de la guerre de Sécession, en prenant la bagnole pour aller jusqu'à Montgomery, en Alabama, à un grand salon spécialisé où y a tout un auditorium plein d'acheteurs et de vendeurs. Y en a qui veulent des certificats d'authenticité et ce genre de choses, mais je finis par trouver un acheteur avec qui je peux faire affaire. Une dame de la bibliothèque a sorti quelques prix sur Internet et j'ai une bonne idée de ce que vaut ma camelote. L'acheteur propose que la moitié de la valeur mais y demande pas de certificat ni même mon nom. Je lui dis que je suis preneur mais seulement s'il paye en liquide. Il râle un peu, et puis il finit par dire « Bouge pas », et il s'en va et y revient avec cinquante-deux billets de cent dollars, des billets neufs tellement craquants et lisses qu'y z'ont l'air amidonnés et repassés.

C'est plus que la facture de l'hôpital et je donne le reste à maman. Du coup ce que j'ai fait paraît moins préoccupant. Je pense à autre chose aussi, que ces deux tombes-là elles avaient de belles grandes pierres en marbre sculpté, donc c'était que ces officiers confédérés défunts y z'avaient pas eu trop besoin d'argent pendant leur vie. Maintenant qu'y z'étaient morts y avait un peu de justice à ce que maman elle profite d'un peu de ce qu'y z'avaient laissé.

Le seul truc moche c'est que j'arrête pas de faire un rêve où le vieux m'a tiré dessus et où je suis enseveli dans le trou avec Wesley. Je suis mal en point mais encore vivant et j'ai de la terre entassée sur moi et quelque part en haut j'entends le vieux qui rigole comme si c'était le diable en personne. Chaque fois que je rêve ça, je me dresse tout droit dans mon lit et j'arrête pas de suffoquer pendant pas loin d'une minute. Je fais ce rêve-là au moins une fois par mois depuis maintenant un an, et y se peut bien, je suppose, que je continue comme ça jusqu'à la fin de mes jours. Y a toujours un prix à payer pour tout ce qu'on a. J'aimerais autant pas, pasque c'est un rêve effrayant, mais si c'est la pire conséquence de tout ce qu'est arrivé je peux vivre avec.

L'envol

Jared n'était jamais allé aussi loin, il avait franchi Sawmill Ridge et traversé un ruisseau vernissé par la glace, puis dépassé le panneau métallique triangulaire sur lequel on lisait PARC NATIONAL DES GREAT SMOKY MOUNTAINS. Si la neige avait continué à tomber et recouvert ses traces, il aurait fait demi-tour. Des gens s'étaient déjà perdus dans ce parc. Des enfants s'éloignaient du pique-nique en famille, des marcheurs s'égaraient loin des sentiers. Parfois il fallait des jours pour les retrouver. Mais ce jour-là le soleil brillait, le ciel était immense et bleu. Il ne neigerait plus, il lui serait donc facile de reprendre sa piste en sens inverse. Jared entendit un hélicoptère tournoyer quelque part à l'ouest, ce qui voulait dire qu'ils n'avaient toujours pas retrouvé l'avion. Ils l'avaient cherché de Bryson City jusqu'à la frontière du Tennessee, ou du moins c'était ce qu'il avait entendu raconter à l'école.

Le terrain se mit à descendre et le bruit de l'hélicoptère s'évanouit. Dans les passages les plus escarpés, Jared se penchait sur le côté et se retenait aux arbres pour éviter de déraper. Tout en avançant dans les bois plus touffus, il ne pensait pas à l'avion perdu ni à s'il aurait le VTT qu'il avait demandé pour Noël. Ne pensait pas non plus à ses parents, alors qu'ils étaient la principale raison pour laquelle il passait le premier jour de ses vacances de Noël ici – mieux valait être dehors par une journée glaciale qu'à la maison où tout, les chaises bancales et le canapé affaissé, les vides où s'étaient trouvés la télé et le micro-ondes, était triste.

Il pensa plutôt à Lyndee Starnes, la fille qui était assise devant lui dans la salle de rassemblement des CM2. Jared fit comme si elle marchait à côté de lui et qu'il lui montrait les traces dans la neige, lui expliquait lesquelles étaient des empreintes d'écureuil, ou de lapin, ou de cerf. Imagina la piste d'un ours aussi, et prétendit qu'il disait à Lyndee que les ours ne lui faisaient pas peur, et que Lyndee lui répondait qu'elle en avait peur et qu'il devait la protéger.

Jared s'arrêta. Il n'avait pas vu de traces d'êtres humains, mais il regarda derrière lui pour s'assurer qu'il n'y avait personne. Il sortit le canif et le brandit, en faisant comme si c'était un couteau de chasse et que Lyndee était à côté de lui. « Si un ours vient, je te défendrai », dit-il tout haut. Jared imagina Lyndee tendant la main pour s'accrocher à son bras libre.

Il garda le couteau sorti alors qu'il escaladait une autre colline, une colline dont il ne connaissait pas le nom. Il imagina Lyndee toujours agrippée à son bras et, tandis qu'ils montaient vers la crête, lui avouant qu'elle était vraiment désolée de lui avoir dit à l'école que lui et ses vêtements sentaient mauvais.

Arrivé au sommet, Jared fit comme si un ours se dressait tout à coup, en montrant les dents et en grondant. Il donna des coups de couteau à l'animal et celui-ci s'enfuit. Jared brandit le canif devant lui en descendant la colline. « Des fois, ils reviennent », dit-il tout haut.

Il était parvenu à mi-pente lorsque la lame accrocha le soleil de midi et l'acier lança un éclair. Un autre éclair arriva d'en dessous, comme en réponse. D'abord, Jared n'aperçut qu'un éclat métallique dans le vert terne des rhododendrons, mais en s'approchant il en vit davantage, une hélice argentée froissée, un empennage blanc et un morceau d'aile brisée. Pendant quelques instants il songea à faire demi-tour, mais il se dit alors qu'un garçon de onze ans qui venait de se battre contre un ours ne devrait pas avoir peur de s'approcher d'un avion qui s'était écrasé.

Il descendit la colline, en cassant des branches de rhododendrons pour dégager un passage. Quand enfin il parvint à l'avion il ne vit pas grand-chose, car la neige et la glace recouvraient les hublots. Il tourna la poignée extérieure du côté passager, mais la porte ne bougea pas avant qu'il ait enfoncé dedans la lame du canif. La porte fit un bruit de succion en s'ouvrant.

Une femme occupait le siège du passager, le corps courbé vers le bas en forme de fer à cheval. Une longue chevelure brune lui retombait sur le visage. Les cheveux avaient gelé et semblaient aussi cassants que des stalactites. Elle portait un blue-jean et un pull jaune. Son bras gauche était projeté en avant et à un doigt il y avait une bague. L'homme qui était de l'autre côté était incliné vers son hublot de pilote, la tête penchée contre la vitre. Des taches de sang rougissaient le verre et son visage n'était pas caché comme celui de la femme. Il y avait un siège à l'arrière, vide. Jared mit le couteau dans sa poche, grimpa sur le siège arrière et referma la porte. Il fait tellement froid, c'est pour ça qu'ils ne sentent pas trop, se dit-il.

Pendant quelques instants il resta assis à écouter combien le monde était silencieux et immobile. Il n'entendait ni l'hélicoptère ni même le babillage d'un écureuil gris ou le croassement d'une corneille. Ici entre les collines pas même le bruit du vent. Jared essaya de ne pas bouger ou de ne pas respirer fort pour que ce soit encore plus silencieux, aussi silencieux que l'homme et la femme à l'avant. L'avion était douillet et confortable.

Au bout d'un moment, il entendit quelque chose, le son le plus ténu qui soit, venant de l'homme. Jared tendit l'oreille, puis sut ce que c'était. Il se pencha en avant entre les deux sièges. Le bras droit du pilote reposait sur un genou. Jared releva la manche de chemise et vit la montre. Il regarda l'heure, pas loin de seize heures. Il était resté assis à l'arrière deux heures, qui ne lui avaient pourtant semblé que quelques minutes. La lumière qui lui permettrait de suivre les traces pour retourner chez lui aurait bientôt disparu.

En quittant le siège arrière, Jared vit la bague de la femme. Même dans la lumière voilée de la cabine, elle brillait. Il la lui retira et la mit dans la poche de son jean. Il referma la porte côté passager et suivit les empreintes de ses bottes par là où il était venu. Il s'efforça de marcher dans ses pas, en faisant comme s'il avait besoin d'embrouiller un loup qui le suivait.

Il lui fallut plus de temps qu'il ne l'avait cru, le soleil était presque couché lorsqu'il franchit la limite du parc. En redescendant la dernière pente, Jared vit que le pick-up était garé dans la cour, les lampes allumées dans la pièce de devant. Il se rappela qu'on était vendredi et que son père avait touché sa paie.

Quand Jared ouvrit la porte, la petite pipe en verre rouge était posée sur la table basse, un sachet en plastique vide à côté. Son père était à genoux devant la cheminée, il arrangeait et réarrangeait minutieusement du petit bois autour d'un rondin de chêne. Une douzaine de canettes de bière écrasées traînaient parmi le petit bois, en équilibre sur le rondin, trois flotteurs de pêche rouge et blanc. Sa mère était assise sur le canapé, les yeux vitreux elle expliquait au père de Jared comment disposer les canettes. Sur ses genoux il y avait un rouleau de papier alu qu'elle découpait en bandes de deux ou trois centimètres de long.

« Regarde ce qu'on est en train de bricoler, dit-elle en souriant à Jared. Ce sera notre sapin de Noël. »

Et comme il ne répondait pas, le sourire de sa mère vacilla.

« Il ne te plaît pas, mon trésor ? »

Sa mère se leva, des bandes de papier alu dans la main gauche. Elle se mit à genoux à côté de l'âtre et les posa avec soin sur le rondin et le petit bois.

Jared entra dans la cuisine et sortit le lait du réfrigérateur. Il lava un bol et une cuillère laissés dans l'évier et se servit des céréales. Après avoir mangé, il alla dans sa chambre et ferma la porte. Il s'assit sur son lit, tira la bague de sa poche et la posa dans sa paume. Il mit la bague sous l'ampoule électrique et balança lentement la main d'avant en arrière pour que les différentes couleurs de la pierre étincellent et s'entremêlent. Il la donnerait à Lyndee lorsqu'ils seraient dans la cour de récréation, le premier jour ensoleillé après les vacances de Noël, qu'elle voie comme les couleurs de la bague étaient jolies. Quand il la lui aurait donnée, enfin elle l'aimerait bien, et là ce serait pour de vrai.

Jared n'entendit son père qu'au moment où la porte s'ouvrit en grand.

« Ta mère veut que tu viennes l'aider à allumer le sapin. »

La bague tomba sur le plancher. Jared la ramassa et referma la main.

« Qu'est-ce que c'est ? demanda son père.

– Rien. Un truc que j'ai trouvé dans les bois, c'est tout.

– Fais voir. »

Jared ouvrit le poing. Son père s'approcha et prit la bague. Il la pressa entre le pouce et l'index.

« C'est sûrement un faux diamant, mais on dirait que l'anneau est en or véritable. »

Son père tapa l'anneau contre le montant du lit comme si le son pouvait confirmer son authenticité. Il appela sa mère et elle entra dans la pièce.

« Regarde ce que Jared a trouvé, dit-il en lui tendant la bague. C'est de l'or. »

Sa mère la posa au creux de sa paume, étendit le bras devant elle pour qu'ils la voient tous les trois.

« Où l'as-tu trouvée, trésor ?

– Dans les bois.

– Je ne savais pas qu'on trouvait des bagues dans les bois, dit sa mère d'un air rêveur. Mais quelle merveille que cela puisse arriver.

– Ce diamant, il peut pas être vrai, dis ? » demanda son père.

Sa mère se rapprocha de la lampe. Elle mit sa main en coupe et la fit aller d'avant en arrière en regardant les différentes couleurs étinceler à l'intérieur de la pierre.

« Allez savoir, dit-elle.

– Tu me la rends ? demanda Jared.

– Pas avant de savoir si c'est du vrai, fiston », dit son père.

Son père prit la bague dans la main de sa mère et la mit dans la poche de son pantalon. Puis il alla dans l'autre chambre à coucher chercher son manteau.

« Je descends à Bryson City, m'informer si c'est du vrai ou pas.

– Mais tu ne vas pas la vendre, dit Jared.

– Je vais seulement la montrer à un bijoutier, dit son père, qui enfilait déjà son manteau. Il faut qu'on sache ce qu'elle vaut, non ? On pourrait être obligés de l'assurer. Toi et ta maman, allez donc allumer notre sapin de Noël. Je serai de retour dans quelques minutes à peine.

– C'est pas un sapin de Noël, dit Jared.

– Bien sûr que si, fiston, répondit son père. Mais c'en est un qui est coupé en morceaux. »

Il voulait rester éveillé jusqu'au retour de son père, il aida donc sa mère à disposer les dernières bandes de papier alu sur le bois. Sa mère gratta une allumette et lui annonça que le moment était venu d'allumer le sapin. Le petit bois s'enflamma et l'alu et les canettes se ratatinèrent et noircirent, les flotteurs de pêche fondirent. Sa mère ne cessait de remettre du petit bois dans le feu, en disant à Jared que s'il regardait bien il verrait des ailes d'anges battre dans les flammes.

« Les anges descendent parfois par la cheminée, tout comme le Père Noël », lui expliqua-t-elle.

Minuit arriva et son père n'était toujours pas rentré. Jared partit dans sa chambre. Je vais juste m'allonger quelques minutes, se dit-il, mais quand il ouvrit les yeux dehors il faisait jour.

Il sentit l'odeur de méthamphétamine dès qu'il ouvrit sa porte, plus forte que jamais dans son souvenir. Ses parents ne s'étaient pas couchés. Il le vit dès qu'il entra dans la pièce de devant. Le feu brûlait toujours, du petit bois empilé autour de la cheminée. Sa mère était assise là où elle était la veille au soir, et portait les mêmes vêtements. Elle arrachait les pages d'un magazine une par une, et se servait d'une paire de ciseaux pour découper des étoiles irrégulières qu'elle collait au mur avec du scotch. Son père était assis à côté de sa mère, et l'observait intensément.

La pipe en verre traînait sur la table basse, à côté quatre sachets en plastique, deux contenant encore de la poudre. Il n'y en avait jamais eu plus d'un à la fois, avant.

Son père lui fit un sourire.

« Je t'ai rapporté les céréales que tu aimes bien », dit-il, et il montra du doigt une boîte ornée d'un lutin vert.

« Où est la bague ? demanda Jared.

– Le shérif l'a prise, répondit son père. Quand je l'ai montrée au bijoutier, il a dit que le shérif était passé pas plus tard que la veille. Une femme avait déclaré l'avoir perdue. Je savais que tu serais déçu, c'est pour ça que je t'ai acheté les céréales. Et j'ai autre chose pour toi. »

D'un signe de tête, son père montra la porte à côté de laquelle un VTT était appuyé contre le mur.

Jared s'en approcha. Il voyait bien qu'il n'était pas neuf, un peu de la peinture bleue était écaillée, une des poignées en caoutchouc manquait, mais les pneus n'étaient pas avachis et le guidon était bien droit.

« Je ne trouvais pas juste que tu doives attendre Noël pour l'avoir, dit son père. Dommage qu'il y ait de la neige dehors, mais elle va bientôt fondre et tu pourras rouler. »

La mère de Jared leva la tête.

« C'est vraiment gentil de la part de ton papa, dit-elle, l'œil joyeux, brillant. Allez, mange tes céréales, fiston. Un garçon qui grandit a besoin de son petit déjeuner.

– Et vous ? demanda Jared.

– On mangera plus tard. »

Jared mangea pendant que ses parents, assis dans la pièce de devant, se passaient et se repassaient la pipe. Il regarda par la fenêtre et vit que dans le ciel il n'y avait que du bleu, pas même quelques nuages blancs. Il songea à retourner à l'avion, mais dès qu'il posa son bol dans l'évier son père annonça qu'ils iraient tous les trois chercher un vrai sapin de Noël.

« Le plus beau de tous les sapins de Noël », lui dit sa mère.

Ils enfilèrent leurs manteaux et gravirent la colline, son père portant une scie rouillée. Près de la crête, ils trouvèrent des sapins de Fraser et du Colorado.

« Lequel tu préfères, fiston ? » demanda son père.

Jared examina les arbres, puis choisit un sapin de Fraser pas plus haut que lui.

« Tu n'en veux pas un plus gros ? » demanda son père.

Quand Jared secoua la tête pour dire que non, son père s'agenouilla devant l'arbre. Les dents de la scie étaient émoussées mais son père finit par entamer l'écorce et passer au travers du tronc.

Ils traînèrent le sapin au pied de la colline, puis le posèrent dans le coin à côté de la cheminée. Ses parents se remirent à fumer la pipe et puis son père partit à la remise chercher un marteau, des clous et deux planches. Pendant qu'il bricolait un pied de fortune pour le sapin, la mère de Jared découpa d'autres étoiles dans le journal.

« Je crois que je vais sortir un peu, annonça Jared.

– Mais non, tu ne peux pas, répondit sa mère. Il faut que tu m'aides à coller les étoiles sur le sapin. »

Quand ils eurent terminé, le soleil disparaissait derrière Sawmill Ridge. J'irai demain, se dit-il.

Le dimanche matin les sachets en plastique étaient vides et ses parents étaient malades. Sa mère était assise sur le canapé, enveloppée dans une courtepointe, frissonnante. Elle ne s'était pas lavée depuis le vendredi et elle avait les cheveux tristes et gras. Son père n'avait pas meilleure mine, ses yeux bleus profondément enfoncés dans son crâne, ses lèvres crevassées et sanguinolentes.

« Ta maman, elle est malade, et ton vieux papa n'est pas très en forme non plus, dit son père.

– Le docteur ne peut rien pour elle, hein ? demanda Jared.

– Non, dit son père. Je ne crois pas. »

Jared veilla sur sa mère toute la matinée. Elle n'avait jamais été aussi mal. Au bout d'un moment elle alluma la pipe et aspira à fond pour en tirer les résidus qui restaient peut-être. Son père croisa les bras en se frottant les biceps et en regardant autour de lui, comme s'il s'attendait à voir quelque chose qu'il n'avait pas vu quelques instants plus tôt. Le feu s'était éteint, et à cause du froid sa mère tremblait plus fort.

« Il faut que t'ailles voir Brady, dit-elle au père de Jared.

– On n'a plus un sou », lui répondit-il.

Jared les observait, attendant que le regard circulaire de son père s'arrête à côté de la porte d'entrée, là où se trouvait le VTT. Mais les yeux de son père passèrent dessus sans même une légère pause. Le poêle à pétrole était allumé à la cuisine, pourtant sa chaleur rayonnait à peine dans la pièce de devant.

Sa mère leva les yeux vers Jared.

« Tu peux nous allumer un feu, trésor ? »

Il sortit sur la galerie à l'arrière de la maison et ramassa une brassée de petit bois, puis posa aussi un gros rondin sur les chenets. En dessous, il glissa du papier journal qui restait du découpage d'étoiles. Il l'alluma et regarda le feu prendre petit à petit, puis regarda encore un peu les flammes avant de se retourner vers ses parents.

« Vous pouvez emporter le vélo à Bryson City et le vendre, dit-il.

– Non, fiston, dit sa mère. C'est ton cadeau de Noël.

– Ça va aller, dit son père. Ta maman et moi on a un peu trop fait la fête hier soir, c'est tout. »

Mais la matinée s'écoula, et ils n'allaient pas mieux.

À midi, Jared partit dans sa chambre prendre son manteau.

« Où vas-tu, trésor ? demanda sa mère comme il s'avançait vers la porte.

– Chercher plus de bois. »

Jared entra dans la remise mais ne ramassa pas de bois. Au lieu de cela, il attrapa un bout de corde poussiéreuse accrochée au mur du fond, se l'enroula autour de la taille et y fit un nœud. Il quitta la remise, suivit ses anciennes traces vers l'ouest et pénétra dans le parc. La neige avait durci et crissait sous ses bottes. Le ciel était gris, des nuages plus sombres plus loin à l'ouest. Il se remettrait bientôt à neiger, peut-être dans l'après-midi. Jared fit comme s'il était en mission de sauvetage. Il était en Alaska, la corde nouée autour de lui tirait un traîneau chargé de nourriture et de médicaments. Les empreintes de pas n'étaient pas les siennes, mais celles des gens à la recherche desquels on l'avait envoyé.

Lorsqu'il parvint à l'avion, Jared fit comme s'il déballait les provisions et donnait à manger et à boire à l'homme et à la femme. Il leur dit qu'ils étaient trop blessés pour repartir à pied avec lui et qu'il devait aller chercher davantage de secours. Il détacha la montre du poignet de l'homme. Il la posa dans sa paume, cadran vers le haut. « Je dois prendre votre boussole, lui dit-il. Une tempête de neige s'annonce et je risque d'en avoir besoin. »

Il glissa la montre dans sa poche. Il sortit de l'avion et remonta sur la crête. Les nuages étaient solides et ressemblaient maintenant à du granit, et les premières rafales de neige arrivaient. Jared sortait la montre toutes les deux ou trois minutes, pointait la petite aiguille vers l'est tout en suivant ses traces le ramenant chez lui.

Le pick-up était toujours devant la maison, et par la fenêtre Jared vit le VTT. Il aperçut aussi ses parents, blottis l'un contre l'autre sur le canapé. Pendant quelques instants il resta simplement là à les regarder.

Quand il entra, le feu était éteint et la pièce assez froide pour qu'il voie son haleine. Sa mère leva vers lui un regard anxieux.

« Tu ne devrais pas partir aussi longtemps sans nous dire où tu vas, trésor. »

Jared tira la montre de sa poche.

« Tiens », dit-il.

Il la donna à son père, qui l'examina quelques instants. Enfin, un large sourire s'épanouit sur son visage.

« Cette montre, c'est une Rolex, dit-il.

– Merci, Jared, dit sa mère, qui semblait au bord des larmes. Tu es le meilleur fils qui soit, c'est pas vrai, papa ?

– On ne fait pas mieux, dit son père.

– Combien on peut en tirer ? demanda sa mère.

– Au moins deux cents dollars, je parie », répondit son père.

Il fixa la montre à son poignet et se leva. La mère de Jared se leva à son tour.

« Je viens avec toi. Il me faut quelque chose le plus vite possible. » Elle se tourna vers Jared. « Reste ici, trésor. On sera rentrés dans un tout petit moment. On te rapportera un hamburger et un Coca, et puis encore des céréales. »

Jared les regarda partir sur la route. Quand le pick-up eut disparu, il s'assit sur le canapé et se reposa quelques minutes. Il n'avait pas retiré son manteau. Il vérifia que le feu était bien éteint puis alla dans sa chambre et sortit ses livres de classe de son sac à dos. Il partit à la remise, prit une clé à molette et un marteau et les mit dans le sac à dos.

Les rafales de neige étaient plus fortes à présent, et commençaient déjà à combler ses traces. Il se dirigea vers Sawmill

Ridge, les outils cliquetant dans son sac. Un poids de plus à porter, songea-t-il, mais au moins il n'aurait pas à revenir avec.

Quand il parvint à l'avion, il n'ouvrit pas la porte, pas tout de suite. Non, il sortit les outils du sac à dos et les étala devant lui. Il examina le nez et l'hélice froissés, l'aile droite brisée. La clé à molette était le meilleur outil pour resserrer l'hélice, décida-t-il. Il redresserait l'aile avec le marteau.

Tandis qu'il passait d'un outil à l'autre et tournait autour de l'avion, la neige redoubla. Jared regarda derrière lui et puis en haut de la crête et vit que ses traces s'effaçaient petit à petit. Il fit sauter la neige et la glace du pare-brise en se servant de l'arrache-clou du marteau. « Voilà », dit-il, et il laissa tomber le marteau par terre. Il ouvrit la porte côté passager et entra. « Je l'ai réparé et il va voler maintenant », annonça-t-il à l'homme.

Il s'assit sur le siège arrière et attendit. Le travail et la marche l'avaient réchauffé mais il eut rapidement froid. Il regarda la neige recouvrir le pare-brise d'une blancheur assombrissante. Au bout d'un moment il se mit à frissonner, mais au bout d'un moment plus long il n'eut plus froid. Il regarda par le hublot et vit que la blancheur n'était pas seulement devant lui mais en dessous. Il sut alors qu'ils avaient décollé et s'étaient élevés si haut qu'ils étaient enveloppés dans un nuage, pourtant il regarda tout de même en bas, attendant que les nuages se dissipent pour pouvoir chercher des yeux le pick-up qui roulait sur la route sinueuse en direction de Bryson City.

La femme qui croyait aux jaguars

En rentrant en voiture de l'enterrement de sa mère, Ruth Lealand pense aux jaguars. Un jour elle en a vu un au zoo d'Atlanta et a admiré les mouvements de l'animal – de l'eau qui serait musclée – alors qu'il marchait de long en large, pivotant à quelques centimètres des barreaux en fer sans pourtant jamais reconnaître l'existence de la cage. Elle ne s'était pas rappelé alors ce qu'elle se rappelle maintenant, un souvenir semblable à quelque chose d'enfoui dans la vase d'une rivière qui finit par se libérer et remonte à la surface, un souvenir du cours élémentaire. Mme Carter leur demande de sortir leur manuel d'histoire de la Caroline du Sud. Froissements et bruissements de papier et de livres. Quelques garçons ricanent, car sur la première page il y a un dessin d'une Indienne donnant le sein à son enfant. Ruth ouvre le livre et voit une illustration en noir et blanc d'un jaguar, mais rien qu'un instant, car ce n'est pas une page qu'ils étudieront ce jour-là ni aucun autre jour de cette année scolaire. Elle passe à la bonne page et oublie ce qu'elle a vu pendant cinquante ans.

Mais à présent, alors qu'elle roule vers l'ouest en direction de Columbia, Ruth revoit le jaguar et les palmiers nains sous lesquels il avance. Elle se demande pourquoi au cours des décennies qui se sont écoulées elle n'a jamais lu ni entendu personne d'autre mentionner que des jaguars sillonnaient autrefois la Caroline du Sud. Vitres fermées, radio éteinte, Ruth roule en silence. Les derniers jours ont été d'autant plus épuisants qu'elle a dû s'entretenir avec quantité de gens. Elle est fille unique, les longs silences de ses jeunes années peuplés de livres et de jeux qui ne nécessitaient pas d'autres joueurs. C'était ce qui lui avait coûté le plus d'effort dans son couple – la présence continuelle de Richard, bien qu'elle ait fini par adorer l'intimité encombrée de leur vie commune, le réconfort et la promesse du « Je suis là » et du « Je reviens ». À présent, une journée entière peut passer sans qu'elle adresse la parole à qui que ce soit.

Dans son appartement pour la première fois depuis trois jours, Ruth laisse tomber son courrier sur le lit, puis suspend la robe noire, envoie d'une légère poussée les chaussures dans le coin le plus éloigné du placard. Elle jette un coup d'œil aux factures et aux publicités, mais s'arrête, comme toujours, lorsqu'elle aperçoit l'avis de disparition d'un enfant. Elle examine le visage du garçon, sans tenir compte du sourire aux dents écartées. Si jamais elle le voyait, il ne sourirait pas. Ses lèvres remuent un peu tandis qu'elle lit ce qui concerne un enfant d'un mètre vingt et trente-six kilos, un garçon aux cheveux blonds et aux yeux bleus vu pour la dernière fois à Charlotte. Pas tellement loin, songe-t-elle, et elle glisse le papier dans un sac à main qui contient déjà une douzaine d'avis analogues.

Aucune carte de condoléances couleur pastel n'égaie son courrier. « Une affaire personnelle », a dit Ruth à son chef de service, et par politesse ou par indifférence le chef de service ne lui a pas demandé de s'expliquer davantage. Bien que Ruth travaille dans ce bureau depuis seize ans, ses collègues ne savent rien d'elle. Ils ne savent pas qu'autrefois elle a été mariée, qu'autrefois elle a eu un enfant. À Noël, elle et ceux avec qui elle travaille tirent des noms d'un chapeau, et chaque année elle reçoit un petit plateau-dégustation de fromages et charcuterie. Elle imagine la personne qui le lui offre en acheter un pour elle et un autre pour une tante restée vieille fille. Il y a des jours au travail où Ruth se sent invisible. Pour les collègues qui passent devant son bureau, elle est transparente. Elle se dit que si elle disparaissait et que la police avait besoin d'un portrait-robot, aucun d'eux ne serait capable de fournir un signe particulier.

Ruth entre dans la salle de séjour, se met à genoux devant les volumes de l'encyclopédie alignés sur l'étagère du bas. Lorsqu'elle était enceinte, sa mère avait insisté pour venir à Columbia et apporter une poussette neuve étincelante, d'énormes paquets de couches à prix discount et l'encyclopédie achetée des années plus tôt à son intention. « Ils sont pour ton enfant maintenant, avait dit sa mère. C'est pour ça que je les ai gardés. »

Mais l'enfant de Ruth n'avait vécu que quatre heures. Elle était encore embrumée par l'anesthésie lorsque Richard s'était assis sur son lit d'hôpital, le visage pâle et la mine défaite, et lui avait annoncé qu'ils avaient perdu le bébé. Dans sa tête bourrée de sédatifs, elle avait imaginé un enfant dans la poussette neuve, emmené dans un couloir de l'hôpital rarement emprunté et puis oublié là. « Dis-leur qu'ils doivent le retrouver », avait-elle répondu, puis elle avait tenté de se lever en prenant appui un instant sur ses coudes avant qu'ils ne cèdent et que l'obscurité ne se referme sur elle.

Richard avait voulu réessayer. « Nous devons aller de l'avant », avait-il dit. Mais elle avait donné la poussette et les paquets de couches à une association caritative. Finalement, seul Richard était allé de l'avant, en prenant un boulot à Atlanta. Rapidement, les week-ends où ils se voyaient étaient devenus de plus en plus rares, la solitude reparaissant dans la vie de Ruth comme un lieu géographique, un paysage ni hostile ni accueillant, simplement familier.

Que leur couple soit parti à vau-l'eau n'avait rien d'étonnant. Tous les ouvrages et les rédactrices de courrier du cœur le disaient. Leur couple était devenu un inextricable échange de douleur. Ruth savait à présent que c'était elle, et non Richard, qui avait trop aisément accepté l'idée qu'il en serait toujours ainsi, que mieux valait la solitude car elle ne permettait pas qu'existe un miroir à son propre chagrin. Ils auraient pu avoir un autre enfant, ils auraient pu tenter de se guérir. Elle avait été celle qui n'y avait pas consenti.

Ruth passe l'index sur le dos des livres, lit les lettres assombries par le temps comme du braille. Elle sort le volume J – un craquement lorsqu'elle l'ouvre. Elle trouve l'article, une photographie en noir et blanc d'un fauve au repos dans un arbre. *Habitat : Amérique du Sud et Amérique centrale. Autrefois présent au Texas, au Nouveau-Mexique, en Arizona, mais de nos jours uniquement vu en de rares occasions près de la frontière entre les États-Unis et le Mexique.*

Il n'y a aucune mention de la Caroline du Sud, même pas de la Floride. Ruth se demande pour la première fois si elle n'a pas imaginé avoir vu le jaguar dans le manuel scolaire. C'était peut-être un couguar ou un lynx. Elle remet l'encyclopédie en place et allume son ordinateur, tape *jaguar Caroline du Sud disparu* dans le moteur de recherche. Au bout d'une heure, elle a trouvé trois mentions du *Sud-Est des États-Unis* et quelques autres de la *Floride* et de la *Louisiane*, mais aucune de la Caroline du Sud. Elle va à la cuisine et ouvre l'annuaire. Elle appelle le zoo de l'État et demande à parler au directeur.

« Il n'est pas là aujourd'hui, répond la standardiste, mais je peux vous passer son assistant, le docteur Timrod. »

Le téléphone sonne deux fois et une voix d'homme répond.

Ruth ne sait pas trop comment dire ce qu'elle veut, ne sait pas trop ce qu'elle veut, sinon une sorte de confirmation. Elle donne son nom et dit qu'elle s'intéresse aux jaguars.

« Nous n'avons pas de jaguar, répond le docteur Timrod d'un ton brusque. Le plus proche doit se trouver à Atlanta. »

Ruth demande s'il y en a eu un jour en Caroline du Sud.

« Dans un zoo ?

– Non, dans la nature.

– Je n'en ai jamais entendu parler, dit le docteur Timrod. J'associe les jaguars à un milieu plus tropical, toutefois je ne suis pas spécialiste des fauves. » Sa voix est pensive à présent, plus curieuse qu'impatiente. « Mon domaine est l'ornithologie. La plupart des gens pensent que les perroquets aussi appartiennent à la faune tropicale, mais il y en a eu autrefois en Caroline du Sud.

– Donc c'est possible, dit Ruth.

– Oui, je suppose que oui. Je sais qu'il y avait des bisons par ici. Des élans, des pumas, des loups. Pourquoi pas un jaguar ?

– Pourriez-vous m'aider à le découvrir ? »

Tandis que le docteur Timrod marque une pause, elle imagine son bureau – des posters d'animaux aux murs, le sol en béton exactement comme dans les cages de fauves, peut-être un classeur et des étagères à livres mais pas grand-chose d'autre. Elle soupçonne que la pièce empeste la pipe.

« Peut-être, répond le docteur Timrod. Je peux poser la question à Leslie Winters. C'est notre spécialiste des grands animaux, bien que les éléphants soient son principal centre d'intérêt. Si elle ne sait pas, j'essaierai de faire moi-même quelques recherches.

– Puis-je passer demain au zoo voir ce que vous aurez trouvé ? »

Le docteur Timrod éclate de rire.

« Vous êtes du genre tenace.

– D'habitude, non.

– Je serai dans mon bureau de dix à onze. Venez à ce moment-là. »

Ruth appelle à son travail et informe la secrétaire qu'elle sera absente encore une journée.

Les besoins de la défunte l'ont épuisée. Trop fatiguée pour cuisiner ou sortir, Ruth finit plutôt de défaire sa valise et prend un long bain. Allongée dans l'eau chaude jusqu'au cou, elle ferme les yeux et se remémore le dessin du jaguar. Elle tâche de se rappeler davantage de choses. Le jaguar était-il dessiné en mouvement ou immobile sur ses pattes ? Ses yeux étaient-ils tournés vers elle ou vers l'extrémité de la page ? Y avait-il des perroquets perchés dans les palmiers nains au-dessus ? Elle ne s'en souvient pas.

Ruth ne dort pas bien cette nuit-là. Elle a du mal à trouver le sommeil et quand enfin elle y parvient elle rêve de rangées de pierres tombales délavées, sans noms ni dates gravés dessus. Dans le rêve, une de ces pierres tombales marque la sépulture de son fils, mais elle ne sait pas laquelle.

Au volant de sa voiture pendant l'heure de pointe le lendemain matin, Ruth se souvient d'avoir demandé à l'infirmière de lui amener son fils lorsque, l'effet des anesthésiques s'étant suffisamment dissipé, elle avait pu comprendre ce que *perdu* signifiait vraiment. Elle avait examiné le visage de son enfant pour ne jamais risquer de l'oublier, tout en caressant les petites mèches de cheveux aussi blonds et fins que des soies de maïs. Les yeux de son fils étaient fermés. Au bout de quelques secondes l'infirmière lui avait retiré le bébé avec douceur mais fermeté. L'infirmière avait fait preuve de gentillesse, tout comme le médecin, mais elle sait que depuis ils ont oublié son enfant, que sa courte existence s'est mêlée à celle de centaines d'autres enfants qui ont vécu et sont morts sous leur protection. Elle sait que deux personnes seulement se souviennent de ce petit, qu'à présent même elle a du mal à se rappeler à quoi il ressemblait et que ce doit aussi être le cas de Richard. Elle sait qu'il n'y a personne sur cette terre qui pourrait lui dire de quelle couleur étaient les yeux de son fils.

Au zoo, la femme qui tient le guichet d'entrée lui remet un plan et indique le bureau du docteur Timrod par une croix.

« Vous devrez traverser une partie du zoo, alors voici un laissez-passer, au cas où on vous le demanderait », dit-elle.

Ruth accepte le laissez-passer mais ouvre son sac à main.

« Il se peut que je reste un bon moment.

– Ne vous inquiétez pas pour ça », dit la femme, qui lui fait signe d'entrer.

Ruth suit le plan et passe devant le rhinocéros noir et les éléphants, devant le guichet des objets perdus, là où la Broad River coule à quelques mètres à peine du sentier bétonné. Elle franchit un pont de bois et trouve le bureau, un bâtiment en brique à côté de la volière.

Ruth a vingt minutes d'avance alors elle s'assoit sur un banc voisin, étourdie de fatigue bien qu'elle n'ait pas parcouru plus de quatre cents mètres à pied, et tout en descente. De l'autre côté du sentier se dresse une cage grillagée, aussi vaste que son salon. LE CONDOR DES ANDES EST LE PLUS GRAND OISEAU TERRESTRE VOLANT. COMME SES CONGÉNÈRES AMÉRICAINS, *VULTUR GRYPHUS* EST MUET, signale le panneau fixé à la cage.

Le condor est perché sur un arbre aux branches courtes et arrondies, sa tête et son cou envahis de rides. Quand l'oiseau déploie ses ailes, Ruth se demande comment la cage parvient à le contenir. Elle baisse les yeux, regarde plutôt les gens qui déambulent devant elle. Son estomac se noue, et elle se rend compte qu'elle n'a rien mangé depuis la veille au déjeuner.

Elle s'apprête à partir à la recherche d'une buvette lorsqu'elle voit l'enfant. Une femme vêtue d'un jean et d'un tee-shirt bleu le tire comme si c'était un prisonnier, leurs poignets reliés par un cordon en plastique blanc. Au moment où ils passent entre elle et le condor, Ruth regarde intensément les yeux bleus et les cheveux blonds, le visage pâle et sans sourire. Elle évalue la taille et le poids du garçon tout en tripotant maladroitement le fermoir de son sac, feuillette les avis de disparition jusqu'à ce qu'elle trouve celui qu'elle cherche. Elle y jette un coup d'œil et sait que c'est lui. Elle referme le sac d'un coup sec à l'instant où la femme et l'enfant franchissent le pont de bois.

Ruth se lève pour les suivre et le monde se brouille soudain. Le grillage de la cage vacille comme s'il était sur le point de s'écrouler. De sa main libre, elle attrape le banc. Au bout de quelques instants elle recouvre l'équilibre, mais la femme et l'enfant ont disparu.

Ruth marche d'un pas rapide, puis la voilà qui court, le sac battant contre ses côtes, le papier serré dans sa main tel un témoin de relayeur. Elle traverse le pont de bois et finit par repérer la femme et l'enfant devant l'enclos du rhinocéros noir.

« Appelle la police ! lance Ruth à l'adolescent qui tient le guichet des objets perdus. Cet enfant, dit-elle, haletante, tout en désignant le garçon, cet enfant a été kidnappé. Fais vite, ils sont sur le point de partir ! »

L'adolescent la regarde d'un air incrédule, mais il décroche le téléphone et demande la sécurité. Ruth avance au-delà de la femme et de l'enfant, et prend position entre eux et la sortie. Elle ne sait pas ce qu'elle dira ou fera, seulement qu'elle ne les laissera pas passer.

Mais ils ne cherchent pas à s'en aller, et bientôt Ruth voit l'adolescent et deux gardes en gris, revolvers sur la hanche glissés dans leur étui, arriver au petit trot vers elle.

« Là ! » hurle Ruth, qui tend le doigt tout en s'approchant de l'enfant.

Alors que Ruth et les gardes convergent vers eux, la femme en tee-shirt bleu et le garçon se retournent pour leur faire face.

« Qu'y a-t-il ? demande la femme tandis que le petit se cramponne à sa jambe.

– Regardez », dit Ruth en fourrant l'avis de disparition dans les mains du plus âgé des deux hommes.

Le garde l'examine, puis examine l'enfant.

« Qu'y a-t-il ? Que voulez-vous ? » demande la femme d'une voix maintenant affolée.

L'enfant pleurniche, toujours accroché à sa jambe. Le garde lève les yeux du papier.

« Je ne vois pas de ressemblance », dit-il en s'adressant à Ruth.

Il tend la feuille à son coéquipier.

« Ce gamin-là aurait maintenant dix ans, remarque le plus jeune.

– C'est lui, assure Ruth. Je sais que c'est lui. »

Le plus âgé des gardes se tourne vers Ruth, puis vers la femme et l'enfant. Apparemment, il ne sait pas trop quoi faire.

« Madame, finit-il par dire, si vous pouviez me présenter des papiers d'identité pour vous et pour l'enfant, l'affaire serait réglée en un rien de temps.

– Vous pensez que ce n'est pas le mien ? demande la femme, dont les yeux sont posés non sur le garde mais sur Ruth. Vous êtes malade ou quoi ? »

Elle tremble alors qu'elle ouvre son sac, tend au garde son permis de conduire, des photos de famille et deux cartes de sécurité sociale.

« M'man, les laisse pas m'emmener », gémit le gamin en se cramponnant encore davantage au genou de sa mère.

La mère pose une main sur la tête de son fils jusqu'à ce que le plus âgé des gardes lui rende les cartes et les photos.

« Merci, madame, dit-il. Veuillez m'excuser pour le dérangement.

– Vous devriez vous excuser, tous autant que vous êtes, lance la femme en prenant l'enfant dans ses bras.

– Je suis vraiment désolée », dit Ruth.

Mais la femme a déjà tourné les talons et marche vers la sortie.

Le plus âgé des gardes parle dans un talkie-walkie.

« J'étais tellement convaincue, dit Ruth au plus jeune.

– Oui, madame », répond-il, sans croiser son regard.

Ruth se demande si elle va aller à son rendez-vous ou bien rentrer chez elle. Finalement, elle se met en route vers le bureau du docteur Timrod, sans meilleure raison que parce que ça descend, c'est plus facile.

Lorsqu'elle frappe à la porte, la voix qu'elle a entendue au téléphone lui dit d'entrer. Le docteur Timrod est assis à un grand bureau en bois. En dehors d'un ordinateur et d'un téléphone, il n'y a dessus rien d'autre que quelques papiers et une grande tasse remplie de stylos et de crayons. Derrière lui, une étagère, qui contient de gros volumes, certains reliés cuir. Les murs sont nus à l'exception d'une peinture encadrée d'oiseaux à longue queue perchés sur une branche, leurs têtes jaunes et leurs corps verts égayant l'arbre comme des décorations de Noël, Perruche de Caroline blasonné en bas.

La jeunesse du docteur Timrod l'étonne. Ruth s'était attendue à des cheveux gris, des doubles foyers, un costume froissé, et non pas à un jean et une chemise en flanelle, un visage sans rides d'adolescent. Un gobelet en polystyrène occupe sa main droite.

« Madame Lealand, je suppose.

– Oui », dit-elle, étonnée qu'il se souvienne de son nom.

Il lui fait signe de s'asseoir.

« Notre chasse au jaguar m'a coûté pas mal d'heures de sommeil la nuit dernière, lance-t-il.

– Je n'ai pas beaucoup dormi non plus, dit Ruth. Je suis désolée pour vous.

– Mais non. Entre autres choses, j'ai découvert que les jaguars ont tendance à être nocturnes. Pour étudier un animal, mieux vaut s'adapter à ses habitudes. »

Le docteur Timrod boit à petites gorgées. Ruth sent l'odeur de café et prend de nouveau conscience du vide de son estomac.

« J'ai parlé à Leslie Winters, hier avant de partir. Elle n'avait jamais entendu dire qu'il y ait eu des jaguars en Caroline du Sud, mais elle m'a rappelé qu'elle s'intéresse principalement aux éléphants, pas aux félins. J'ai alors téléphoné à un ami qui mène une enquête de terrain sur les jaguars en Arizona. Selon lui, il y a autant de chances qu'il y ait eu un jaguar en Caroline du Sud qu'un ours blanc.

– Donc il n'y en a jamais eu ici, dit Ruth, qui se demande s'il reste dans sa tête quoi que ce soit en quoi elle puisse croire.

– Disons que ça peut encore se discuter. En rentrant chez moi hier soir, j'ai fait quelques recherches sur mon ordinateur. De nombreuses sources signalent que leur habitat incluait autrefois le Sud-Est. Plusieurs mentionnaient la Floride et la Louisiane, quelques-unes le Mississippi et l'Alabama. »

Le docteur Timrod marque un temps d'arrêt et prend un papier sur son bureau.

« Et puis j'ai trouvé ça. »

Il se lève et tend la feuille à Ruth. Les mots « Floride », « Géorgie » et « Caroline du Sud » sont soulignés.

« Ce qui est étrange, c'est que c'est tiré d'un livre publié au début des années 60, ajoute-t-il. Et non d'une source plus moderne.

– Les gens ont donc oublié qu'il y en avait ici, dit Ruth.

– Bon, je n'ai quand même pas procédé à une recherche exhaustive. Et le livre dont sortait cette page pourrait être inexact. Comme je vous l'ai dit, ce n'est pas une source qui a été mise à jour.

– Moi, je crois qu'il y en avait ici », dit Ruth.

Le docteur Timrod sourit et boit à petites gorgées le contenu de son gobelet en polystyrène.

« Maintenant vous avez de quoi étayer votre conviction. »

Ruth plie la feuille et la glisse dans son sac.

« Je me demande quand ils ont disparu de Caroline du Sud.

– Je n'en ai pas la moindre idée.

– Et eux, alors ? demande Ruth en montrant du doigt les perroquets.

– Plus tard que vous ne pourriez le croire. Il y en avait encore des groupes considérables au milieu des années 1800. Audubon disait que lorsqu'ils cherchaient leur nourriture les champs ressemblaient à des tapis aux couleurs éclatantes.

– Que s'est-il passé ?

– Les fermiers ne voulaient pas partager les récoltes et les arbres fruitiers. Un fermier armé d'un fusil pouvait tuer une volée tout entière en un après-midi.

– Comment est-ce possible ?

– C'est ce qui est surprenant : ils ne s'abandonnaient pas les uns les autres. »

Le docteur Timrod se tourne vers son étagère à livres, y prend un volume et se rassoit. Il le feuillette jusqu'à ce qu'il ait trouvé ce qu'il cherchait.

« Ceci a été écrit dans les années 1800 par un certain Alexander Wilson », précise-t-il, et il se met à lire : « "Alors que j'en avais abattu bon nombre, et seulement blessé certains, la volée tout entière ne cessa de tourner autour de ses compagnons prostrés, et revint se percher sur un petit arbre, à une vingtaine de mètres de l'endroit où je me trouvais. Après chaque décharge de mon arme, bien qu'ils tombassent en grêle, l'affection des survivants semblait toutefois plutôt augmenter, car, après avoir fait quelques fois le tour des lieux, ils se posaient à nouveau près de moi." » Le docteur Timrod lève les yeux de son livre. «"L'affection des survivants semblait plutôt augmenter", dit-il à mi-voix. C'est vraiment un passage à vous fendre le cœur.

– Oui, dit Ruth. En effet. »

Le docteur Timrod pose l'ouvrage sur sa table de travail. Il consulte sa montre.

« J'ai une réunion », dit-il en se levant. Il contourne le bureau et tend la main. « Félicitations. Vous pourriez bien être à la pointe des études sur le jaguar de Caroline du Sud. »

Ruth prend sa main, une main plus solide et plus calleuse qu'elle ne l'aurait cru. Le docteur Timrod ouvre la porte.

« Après vous. »

Ruth se lève lentement, les deux mains agrippées aux bras du fauteuil. Puis elle sort dans l'éclatante matinée de mai.

« Merci, dit-elle. Merci de votre aide.

– Bonne chance pour votre recherche ! » lance le docteur Timrod.

Il se détourne et s'engage sur le sentier. Ruth le regarde jusqu'à ce qu'il disparaisse au détour d'un virage. Elle part dans la direction opposée. Lorsqu'elle arrive à l'endroit où la rivière est le plus près, elle s'arrête et s'assoit sur un banc. Elle regarde la rivière, la berge opposée où les silhouettes des gratte-ciel de Columbia se dressent au-dessus des arbres.

Les immeubles s'effritent comme du sable et sont emportés par le vent. Des oiseaux vert et jaune paillettent le ciel. En dessous, des loups et des bisons tendent la tête dans le courant de la rivière. Depuis la rive opposée, une branche d'arbre s'élève vers elle telle une main tendue. Un jaguar est couché dessus, se fondant si bien dans son habitat qu'elle ne peut cligner des paupières sans que l'animal s'efface. Il est chaque fois plus difficile de le ramener, et le moment arrive où Ruth sait que si elle ferme les yeux une fois de plus le jaguar disparaîtra pour toujours. Son regard s'embue mais elle ne baisse pas les yeux. Quelque chose en elle largue les amarres. Elle s'allonge sur le banc, pose sa tête sur son avant-bras. Elle ferme les yeux et elle s'endort.

Incandescences

Après le troisième incendie en quinze jours, on ne parlait plus ni à la télé ni à la radio de « campeurs négligents ». Pas *trois* incendies. C'était tout simplement un miracle que seuls quelques arpents aient brûlé, disait le directeur du parc, un miracle qui avait de moins en moins de chances de se reproduire à chaque nouvelle journée sans pluie.

Marcie écouta le bulletin météo de la mi-journée, puis éteignit la télé et sortit sur la galerie. Elle regarda le ciel et rien ne démentait les prévisions annonçant encore du temps sec et chaud. « La pire sécheresse de la décennie », avait commenté le présentateur météo en montrant un tableau de dix années de précipitations au mois d'août. Comme si Marcie avait besoin d'un tableau quand il lui suffisait de voir ses tomates flétries sur leurs tiges, les feuilles du maïs aussi grises et parcheminées qu'un nid de frelons. Elle descendit de la galerie et tira une longueur de tuyau d'arrosage dans le potager, son caoutchouc le seul vert vif parmi les légumes. Marcie ouvrit l'eau et la regarda rejaillir sur la poussière. C'était sans espoir, mais elle parcourut lentement les rangs, en serrant le tuyau juste sous l'embouchure métallique, comme si c'était un serpent qui risquait de la mordre. Quand elle eut terminé elle observa le ciel une dernière fois et rentra. Elle pensa à Carl, se demandant s'il serait en retard une fois de plus. Elle pensa aussi au briquet qu'il avait dans la poche plastron de sa salopette, un cadeau de mariage qu'elle lui avait acheté à Gatlinburg.

Quand son premier mari, Arthur, était mort d'une crise cardiaque deux automnes plus tôt, les hommes qui fréquentaient l'église étaient venus la semaine suivante et avaient abattu un chêne blanc sur la crête. Ils l'avaient débité en bûches pour le feu qu'ils avaient empilées sur sa galerie. Qu'ils l'aient fait avait été davantage une façon d'honorer le souvenir d'Arthur que de se préoccuper d'elle, du moins Marcie l'avait-elle compris l'année suivante au mois de septembre quand les hommes n'étaient pas venus, exprimant par là le fait que l'Église et la communauté qu'elle représentait jugeaient que d'autres avaient plus besoin de leur aide qu'une femme dont le mari avait laissé cinquante arpents de terre, une maison entièrement remboursée, et de l'argent à la banque.

C'était Carl qui avait débarqué à leur place.

« Y paraît que vous auriez peut-être besoin qu'on vous coupe du bois pour l'hiver », lui avait-il déclaré, mais elle n'avait pas ouvert la porte-moustiquaire lorsqu'il était monté sur la galerie, même après qu'il avait expliqué que le pasteur Carter lui avait suggéré de venir. Il avait reculé jusqu'aux marches, ses yeux bleu sombre baissés pour ne pas croiser les siens. Cherchant à la mettre à l'aise, elle en était sûre, à paraître moins menaçant pour une femme qui vivait seule. C'était quelque chose que nombre d'autres hommes n'auraient pas fait, n'auraient même pas songé à faire. Marcie lui avait demandé un numéro de téléphone et Carl lui en avait donné un. « Je vous appellerai demain si j'ai besoin de vous », avait-elle dit, et elle l'avait regardé partir au volant de son pick-up noir cabossé, une tronçonneuse et un bidon rouge de vingt litres d'essence ferraillant à l'arrière sur le plateau.

Elle avait téléphoné au pasteur Carter après le départ de Carl.

« Il est nouveau dans le coin, il vient du Sud, pas loin de la côte, avait expliqué le pasteur à Marcie. Il est passé à l'église un après-midi, a affirmé qu'il ferait du bon travail en échange d'un salaire honnête.

– Et vous l'avez envoyé ici sans pratiquement rien savoir de lui ? avait demandé Marcie. Alors que je vis seule ?

– Ozell Harper avait quelques arbres à abattre et je l'ai envoyé là-bas, avait répondu le pasteur Carter. Il en a aussi coupé pour Andy West. Ils ont dit tous les deux qu'il avait fait un boulot impeccable. » Le pasteur avait marqué un temps. « À mon avis, qu'il soit passé à l'église pour demander du travail plaide en sa faveur. Et il a de bonnes manières. Sérieux et pas un mot plus haut que l'autre, il laisse son travail parler pour lui. »

Elle avait appelé Carl le soir même et lui avait annoncé qu'il était engagé.

Marcie ferma le robinet et regarda le ciel une dernière fois. Elle entra dans la maison et fit sa liste de courses.

Alors qu'au volant de sa voiture elle prenait les quelques centaines de mètres de chemin de terre, de la poussière rouge s'éleva dans le sillage de l'auto. Elle passa devant les deux autres maisons sur la route, appartenant l'une comme l'autre à des gens de Floride qui venaient chaque année en juin et repartaient en septembre. Lorsqu'ils s'étaient installés, elle était descendue leur apporter un gâteau fait maison. Les nouveaux arrivants étaient restés sur le pas de leur porte. Ils avaient accepté le cadeau de bienvenue visiblement à contrecœur, et ne l'avaient pas invitée à entrer.

Marcie tourna à gauche sur la route goudronnée, la radio réglée sur la station locale. Elle longea plusieurs champs de maïs et de tabac tout aussi roussis que son jardin. Un peu plus loin, devant la ferme de Johnny Ramsey, elle vit quelques-unes des vaches qui avaient été dans son propre champ jusqu'à la mort d'Arthur. La route bifurqua et alors qu'elle passait devant chez Holcombe Pruitt elle aperçut un serpent noir drapé sur une clôture de barbelés, mis là parce que les fermiers d'un certain âge croyaient que cela ferait venir la pluie. Son père avait qualifié cela de « superstition idiote » quand elle était petite, mais pendant une sécheresse presque aussi grave que celle-ci il avait lui-même tué un serpent noir qu'il avait accroché à une clôture, puis était tombé à genoux dans son champ desséché en implorant allez savoir quelle entité de faire venir la pluie.

Marcie jusque-là n'avait pas écouté la radio, mais à présent un professeur de psychologie du centre universitaire était interviewé dans une émission ligne ouverte. Il disait que la personne qui allumait les feux était certainement, d'après les statistiques, un individu de sexe masculin et un solitaire. « Il y a parfois une gratification sexuelle à l'acte, expliqua-t-il, ou une incapacité à communiquer avec autrui sinon par des actions, dans le cas présent des actions destructrices, ou simplement un amour pour le spectacle du feu, une réaction quasi esthétique. Toutefois les pyromanes sont toujours obsessionnels, conclut le professeur, il continuera donc jusqu'à ce qu'il se fasse prendre ou bien qu'il pleuve. »

L'idée lui vint alors, comme une chose retenue sous l'eau qui s'est enfin dégagée et refait surface. La seule raison pour laquelle tu penses que ce pourrait être lui, se dit Marcie, c'est parce que les gens t'ont poussée à croire que tu ne le mérites pas, que tu ne mérites pas un peu de bonheur. Il n'y a aucune raison de penser une chose pareille. Mais aussitôt son esprit en chercha désespérément une.

Marcie songea à la lune de miel d'une nuit passée à Gatlinburg, le mois d'avril précédent. Carl et elle avaient pris une chambre d'hôtel si proche d'une rivière qu'ils entendaient l'eau couler impétueusement. Le lendemain matin ils avaient mangé dans un bar à pancakes et puis s'étaient promenés dans la ville et avaient fait les magasins, Marcie tenant Carl par la main. Ridicule, peut-être, pour une femme de presque soixante ans, mais Carl n'avait pas paru s'en soucier. Marcie lui avait dit qu'elle voulait lui offrir quelque chose, et quand ils étaient arrivés devant une boutique nommée Country Gents elle l'avait entraîné à l'intérieur dans un décor de cabane en rondins. « Choisis », lui avait-elle dit, et il avait regardé dans des vitrines contenant toutes sortes de boucles de ceinture, de couteaux de poche et de boutons de manchettes, mais c'était devant un présentoir de briquets qu'il s'était attardé. Il avait demandé au vendeur à en voir plusieurs, avait ouvert et refermé leur couvercle à charnière, actionné la molette pour faire jaillir la flamme, porté finalement son choix sur un modèle dont le métal présentait un tigre embossé.

Au supermarché, Marcie sortit sa liste et un stylo plume, longea les allées. Le lundi après-midi était un bon moment pour faire ses courses, la plupart de ses connaissances venant plus tard dans la semaine. Son chariot plein, Marcie se dirigea à l'avant du magasin. Une seule caisse était ouverte et c'était celle de Barbara Hardison, une femme de son âge et la pire commère de Sylva.

« Comment vont tes filles ? » demanda Barbara tandis qu'elle scannait une boîte de haricots et la posait sur le tapis roulant.

Tout ça lentement, Marcie le savait, pour se donner davantage de temps.

« Bien, répondit Marcie alors qu'elle n'avait parlé ni à l'une ni à l'autre depuis plus d'un mois.

– Ça doit être dur qu'elles habitent si loin, de ne pratiquement pas les voir, elles ou tes petits-enfants. Je serais perdue, moi, si je ne voyais pas les miens au moins une fois par semaine.

– On se parle tous les samedis, je garde ainsi le contact avec elles », dit Marcie, débitant un mensonge.

Barbara scanna d'autres boîtes et bouteilles, tout en expliquant qu'à son avis la personne responsable des incendies était l'un des Mexicains employés à l'usine de volailles.

« Personne ayant grandi ici ne ferait une chose pareille », assura-t-elle.

Marcie acquiesça d'un signe de tête, sans vraiment écouter Barbara qui continuait à jacasser. Son esprit revint plutôt sur ce qu'avait dit le professeur de psychologie. Elle songea qu'il y avait des jours où Carl ne lui adressait pas plus d'une poignée de paroles, ni à personne d'autre, autant qu'elle sache, il restait assis seul sur la galerie jusqu'à l'heure du coucher pendant qu'elle regardait la télé, et, même s'il avait fumé sa cigarette d'après dîner, lorsqu'elle jetait un coup d'œil par la fenêtre elle voyait parfois une lueur vacillante monter de sa main en coupe, tenue devant son visage comme une bougie servant à se guider.

Le chariot était presque vide quand Barbara pressa un flacon de teinture pour les cheveux contre le scanner.

« Ça doit causer du souci certains jours d'avoir un mari aussi fort et solide que Carl, lança-t-elle assez fort pour que le garçon qui mettait les achats en sac l'entende. Mon fils Ethan le voit de temps à autre chez Burrell après le boulot. Ethan raconte que la fille qui est au bar essaie de draguer Carl, que c'est une horreur. Bien sûr Ethan dit que Carl ne répond jamais à ses avances, qu'il reste assis tout seul à boire sa bière, rien qu'une, et qu'il s'en va dès que sa bouteille est vide. » Barbara déposa enfin le flacon de teinture sur le tapis. « Jamais y fait attention à cette fille », ajouta-t-elle, puis elle marqua un temps. « Du moins quand Ethan est là. »

Barbara enregistra le total et déposa le chèque de Marcie dans la caisse.

« Bon après-midi », dit-elle.

Sur le chemin du retour, Marcie se souvint qu'une fois le bois coupé et rangé elle avait engagé Carl pour accomplir d'autres tâches – réparer la galerie qui s'affaissait, puis construire un petit garage, des choses qu'Arthur aurait faites s'il avait encore été de ce monde. Elle l'observait par la fenêtre, admirant sa façon de travailler avec tant d'application. Carl ne paraissait jamais s'ennuyer, ni être distrait. Il n'apportait pas de radio pour l'aider à passer le temps et ne fumait qu'après manger, roulant sa cigarette entre ses doigts avec la même patience méticuleuse que lorsqu'il mesurait un trait de scie ou empilait une corde de bois de chauffage. Elle avait envié le confort dont il jouissait dans sa solitude.

Ils avaient commencé à se fréquenter en prenant le café ensemble, puis des repas préparés à la maison, proposés et acceptés. Carl ne se racontait pas beaucoup mais au fil des jours, puis des semaines, Marcie avait appris qu'il avait grandi à Whiteville, à l'extrême est de l'État. Charpentier licencié lorsque le marché du bâtiment s'était effondré, il avait entendu dire qu'il y avait davantage d'ouvrage dans les montagnes et il était donc venu à l'Ouest, tout ce qu'il avait à cœur d'emporter avec lui à l'arrière de son pick-up. Quand Marcie avait demandé s'il avait des enfants, Carl lui avait répondu qu'il ne s'était jamais marié.

« Jamais trouvé de femme qui veuille de moi. Trop silencieux, faut croire.

– Pas pour moi, lui avait-elle dit, avec un sourire. Dommage que je sois presque assez vieille pour être votre mère.

– Vous n'êtes pas trop vieille », avait-il répondu, d'un ton neutre, ses yeux bleus posés sur elle, sans sourire.

Elle s'attendait à ce qu'il soit un amant timide et maladroit, mais pas du tout. L'application qu'il mettait à son travail se retrouvait dans ses baisers et ses caresses, dans sa façon de régler la cadence de ses mouvements sur ceux de Marcie. C'était comme si ses longs silences lui donnaient une plus grande faculté de communiquer d'autres façons. Rien à voir avec Arthur, qui était rapide et surtout préoccupé de se satisfaire. Carl habitait un motel délabré aux abords de Sylva qui louait à l'heure ou à la semaine, mais ils n'y étaient jamais allés. Ils avaient toujours fait l'amour dans le lit de Marcie. Parfois Carl restait toute la nuit.

Au supermarché et à l'église, il y avait eu des apartés et des regards appuyés. Le pasteur Carter, qui dans un premier temps lui avait envoyé Carl, avait parlé à Marcie de « bienséance ». Et ses filles avaient elles aussi découvert l'affaire. À trois États de là, elles lui avaient déclaré être humiliées, et avaient soutenu qu'elles seraient trop gênées pour venir la voir, comme si leurs visites étaient fréquentes. Marcie avait cessé de fréquenter l'église et descendait en ville le moins possible. Carl avait terminé le garage mais sa réputation de bricoleur était telle qu'il avait tout l'ouvrage qu'il voulait, et même une offre de s'intégrer à une équipe d'ouvriers du bâtiment travaillant en dehors de Sylva. Il avait expliqué au chef de chantier qu'il préférait travailler seul.

Ce que les gens disaient à Carl de sa relation avec elle, Marcie n'en savait rien, mais le soir où elle en avait parlé il lui avait répondu qu'ils devraient se marier. Ni demande officielle ni dîner aux chandelles dans un restaurant, rien qu'une simple remarque. Mais assez bonne pour elle.

Quand Marcie l'avait annoncé à ses filles, elles avaient, c'était prévisible, été indignées. La plus jeune avait pleuré. Pourquoi ne pouvait-elle pas se comporter en adulte, avait demandé l'aînée, d'une voix cuisante comme du fer rouge.

Un juge de paix les avait unis, puis ils avaient franchi les montagnes et s'étaient rendus à Gatlinburg pour le week-end. Carl avait apporté le peu d'affaires qu'il possédait et ils avaient commencé une vie à deux. Elle avait cru que plus ils se sentiraient à l'aise ensemble plus ils parleraient, mais ce n'était pas ce qui était arrivé. Le soir Carl s'asseyait seul sur la galerie ou trouvait une petite tâche à accomplir, une bricole que l'on faisait mieux sans aide. Il n'aimait pas regarder la télé ni louer des films. À table il disait toujours que le repas était bon, et la remerciait de l'avoir préparé. Parfois elle lui racontait un événement de sa journée, et il écoutait poliment, lançait une brève remarque pour montrer qu'il avait beau ne pas parler beaucoup, du moins il écoutait. Mais lorsqu'elle se préparait pour se mettre au lit il rentrait toujours. Ils s'allongeaient côte à côte et Carl se tournait pour lui souhaiter bonne nuit avec un baiser, toujours sur la bouche. Trois, quatre soirs par semaine, ce baiser se prolongeait et puis les courtepointes et les draps étaient repoussés. Après, Marcie ne remettait pas sa chemise de nuit. Non, elle collait son dos à la poitrine et au ventre de Carl, fléchissait les genoux et se recroquevillait contre lui, qui la serrait dans ses bras, l'enveloppait dans la chaleur de son corps.

Rentrée chez elle, Marcie rangea les provisions et mit un morceau de paleron de bœuf à mijoter sur la cuisinière.

Elle fit une lessive et balaya la galerie de devant, en jetant de petits coups d'œil au bout de la route à l'affût du pick-up de Carl. À dix-huit heures, elle écouta les nouvelles. Un nouveau feu avait été allumé, à peine une trentaine de minutes plus tôt. Par chance, un randonneur qui n'était pas loin avait aperçu la fumée, et même entrevu un pick-up entre les arbres. Pas la plaque minéralogique ni la marque. Tout ce que pouvait affirmer le randonneur c'était que le pick-up était noir.

Carl ne fut pas de retour avant presque dix-neuf heures. Marcie entendit le pick-up remonter la route et commença à mettre le couvert. Carl ôta ses chaussures sur la galerie et entra, le visage encrassé de sueur, de la sciure dans les cheveux et sur ses vêtements. Il lui fit un signe de tête et alla à la salle de bains. Pendant qu'il prenait sa douche, Marcie sortit voir le pick-up. Sur le plateau il y avait la tronçonneuse, à côté des bouteilles en plastique d'huile pour moteur 20W, et le bidon rouge de vingt litres d'essence. Quand elle le souleva, il était vide.

Ils mangèrent en silence excepté l'habituel compliment de Carl sur le repas. Marcie l'observa, guettant un signe de quelque chose de différent dans son attitude, une impression fugace d'anxiété ou de satisfaction.

« Il y a eu un autre incendie aujourd'hui, finit-elle par dire.

– Je sais », répondit Carl, sans lever le nez de son assiette.

Elle ne demanda pas comment il le savait, alors que dans son pick-up la radio ne fonctionnait pas. Mais il avait aussi bien pu l'entendre chez Burrell.

« Il paraît que celui qui l'a allumé roulait dans un pick-up noir.

– Je sais ça aussi. »

Après le dîner Carl s'assit sur la galerie tandis que Marcie allumait la télé. Elle passa son temps à se détourner du film qu'elle regardait pour lorgner par la fenêtre. Carl était installé sur la chaise longue en bois, on ne voyait que l'arrière de son crâne et ses épaules, de moins en moins à mesure que les minutes s'écoulaient et que son corps se fondait dans le crépuscule grandissant. Il avait les yeux fixés sur les sommets des Smokies, et Marcie n'avait pas idée de ce à quoi il pensait, si du moins il pensait à quelque chose. Il avait déjà fumé sa cigarette, mais elle attendit de voir s'il sortirait le briquet de sa poche, l'allumerait d'un petit coup de pouce et contemplerait la flamme quelques instants. Il n'en fit rien. Pas ce soir-là. Quand elle éteignit la télé et s'en fut dans la pièce du fond, la chaise longue racla le sol tandis que Carl s'en extrayait. Puis le déclic métallique au moment où il verrouillait la porte.

Lorsqu'il se mit au lit à côté d'elle, elle garda le dos tourné. Il s'approcha, posa la main entre sa tête et l'oreiller, et lentement, tendrement, la fit pivoter pour pouvoir l'embrasser. Dès que les lèvres de Carl effleurèrent les siennes, elle se détourna, se poussa pour que leurs corps ne se touchent pas.

Elle s'endormit mais se réveilla quelques heures plus tard. À un moment dans la nuit elle s'était réinstallée au milieu du lit, et à présent le bras de Carl l'entourait, il avait glissé ses genoux au creux des siens, pressé sa poitrine contre son dos.

Couchée là sans dormir, Marcie se souvint du jour où sa fille cadette était partie pour Cincinnati, rejoindre sa sœur. « On dirait bien que nous voilà plus que tous les deux », avait remarqué Arthur d'un air sombre. Ces paroles l'avaient contrariée, comme si elle avait été un prix de consolation accepté à contrecœur. Ce qui l'avait contrariée, aussi, c'étaient que ces paroles attestaient que leurs filles avaient toujours été plus proches d'Arthur, même enfants. Adolescentes, elles avaient déchaîné leur rancœur, leurs cris, leurs larmes et leurs griefs sur Marcie. Les conflits inévitables entre mère et filles et le fait qu'Arthur était le seul homme de la maison, cela comptait certainement, mais Marcie pensait également qu'il y avait eu des différences de tempérament aussi congénitales que les groupes sanguins.

Arthur avait espéré qu'un jour la nouveauté de la vie urbaine passerait et que les filles redescendraient en Caroline du Nord. Mais elles étaient restées dans l'Ohio, s'étaient mariées et avaient entrepris de fonder leurs propres familles. Leurs visites et leurs coups de téléphone s'étaient faits de moins en moins fréquents. Arthur en avait été blessé, profondément blessé, bien qu'il ne l'ait jamais dit. Il avait paru vieillir plus vite, surtout après qu'on lui avait implanté un stent dans une artère. Ensuite il en avait fait moins à la ferme, jusqu'à ce que finalement il ne cultive plus ni tabac ni choux, élève simplement quelques vaches. Puis un jour il n'était pas rentré déjeuner. Elle l'avait trouvé dans la grange, effondré à côté d'une stalle, une fourche à foin à la main.

Les filles étaient revenues pour l'enterrement et restées trois jours. Après leur départ, pendant un mois il y avait eu un déferlement de coups de fil des gens du coin, de visites et de plats mitonnés, et puis des jours où la seule voiture qui venait était celle du facteur. Marcie avait alors appris ce qu'était la vraie solitude. À huit kilomètres du bourg sur un chemin de terre en impasse, sans même apercevoir les propriétés des familles de Floride. Elle avait acheté des verrous supplémentaires pour les portes, car la nuit il lui arrivait de prendre peur, même si l'objet de ses craintes était autant à l'intérieur qu'à l'extérieur de la maison. Parce qu'elle savait ce que l'on espérait d'elle – qu'elle reste là, seule, à attendre que les années, peut-être les décennies, passent jusqu'à ce qu'elle meure à son tour.

Ce fut en milieu de matinée, le lendemain, qu'arriva le shérif Beasley. Marcie vint à sa rencontre sur la galerie. Le shérif avait été un ami proche d'Arthur, et en sortant de la voiture de patrouille ce ne fut pas elle qu'il regarda mais la grange affaissée et le pré vide, semblant ignorer le garage neuf et le toit de la maison aux bardeaux fraîchement remplacés. Il n'ôta pas son chapeau alors qu'il traversait la cour, ni quand il monta sur la galerie.

« Je savais que tu avais vendu quelques-unes des vaches d'Arthur, mais toutes, ça je l'ignorais. »

Le shérif s'exprima comme s'il n'avait vu là qu'une simple remarque.

« Je ne l'aurais peut-être pas fait s'il y avait eu quelques hommes pour m'aider à m'en occuper après la mort d'Arthur, dit Marcie. Toute seule, je n'y arrivais pas.

– Peut-être bien, répondit le shérif Beasley, qui laissa passer quelques instants avant de reprendre la parole, les yeux posés sur elle à présent. Il faut que je parle à Carl. Tu sais où il travaille aujourd'hui ?

– Lui parler de quoi ?

– L'individu qui allume les feux roule dans un pick-up noir.

– C'est plein de pick-up noirs dans ce comté.

– Oui, en effet, reconnut le shérif Beasley, et je vérifie tous ceux qui en ont un. Je vérifie aussi où ils étaient hier soir vers dix-huit heures. Je me dis que ça restreint un peu les possibilités.

– Tu n'as pas besoin de poser la question à Carl. Il était ici et il dînait.

– À dix-huit heures ?

– Vers dix-huit heures. Mais il est arrivé aux alentours de dix-sept heures trente.

– Comment peux-tu en être si sûre ?

– Les nouvelles de dix-sept heures trente venaient de commencer quand il s'est garé. »

Le shérif ne dit rien.

« S'y faut que je te signe quelque chose, c'est bon.

– Non, Marcie, ce n'est pas nécessaire. Je fais le tour de tous ceux qui ont un pick-up noir. La liste est longue.

– Je parie que tu es d'abord venu ici, pourtant, pas vrai ? Parce que Carl n'est pas de chez nous.

– Je suis d'abord venu ici, mais j'avais une raison. Lorsque Carl et toi avez commencé à vous fréquenter, le pasteur Carter m'a demandé de me renseigner sur lui, simplement pour vérifier que c'était un gars comme il faut. J'ai appelé le shérif de là-bas. Eh bien, quand Carl avait quinze ans, un autre garçon et lui ont été arrêtés parce qu'ils avaient mis le feu à un bois derrière un terrain de sport. Ils ont juré que c'était un accident, mais le juge n'a pas gobé leur histoire. Ils ont failli être envoyés en maison de redressement.

– Y a des garçons qu'ont fait ce genre de chose par ici.

– Oui, c'est vrai. Et c'était tout ce qu'y avait dans le casier de Carl, même pas un PV pour excès de vitesse. Tout de même, qu'il ait été ici hier soir au moment des faits, c'est un bon point pour lui. »

Marcie attendit que le shérif s'en aille, mais il s'attarda. Il sortit un mouchoir sale et s'essuya le front. Désirant probablement un verre de thé glacé, crut-elle comprendre, mais elle n'allait pas lui en proposer. Le shérif rangea son mouchoir et jeta un coup d'œil au ciel.

« On pourrait croire qu'on aura au moins un orage d'après-midi.

– J'ai à faire, dit-elle en tendant la main vers la poignée de la porte-moustiquaire.

– Marcie », dit le shérif, d'une voix si douce qu'elle se retourna. Il leva la main droite, la paume ouverte comme pour lui offrir quelque chose, puis la laissa retomber. « Tu as raison. On aurait dû en faire davantage pour toi après la mort d'Arthur. Je le regrette. »

Marcie ouvrit la porte-moustiquaire et retourna dans la maison.

Lorsque Carl rentra, elle ne parla pas de la visite du shérif, et ce soir-là au lit, quand il se retourna et voulut l'embrasser, elle tendit les lèvres et éleva une main jusqu'à sa joue. Elle pressa sa main libre sur les reins de Carl, guidant son corps qui se déplaçait, venait se poser sur elle. Après, elle resta éveillée, sentant son souffle sur sa nuque, son bras sanglé autour de ses côtes et de son ventre. Elle tendit l'oreille, à l'affût d'un premier grondement lointain, mais il n'y avait que le petit bruit sec et grinçant des insectes se cognant à la moustiquaire de la fenêtre. Marcie n'était pas allée à l'église depuis des mois, n'avait pas prié depuis plus longtemps encore. Mais ce fut alors ce qu'elle fit. Elle serra encore davantage ses paupières fermées, en s'efforçant d'ouvrir un espace à l'intérieur d'elle-même qui pourrait contenir toutes ses craintes et toutes ses espérances, présentées avec tant de ferveur que cela ne pouvait qu'être entendu. Elle pria pour qu'il pleuve.

II

Retour

à la mémoire de Robert Holder

Il avait plu ce matin-là à Charlotte. Et seulement lorsque le car eut gémi et crachoté dans les hautes montagnes au-dessus de Lenoir, les premiers flocons de neige vinrent voleter contre le pare-brise et s'y coller un instant avant d'être balayés par les essuie-glaces. Mais ici il a neigé pendant des heures, sans nul signe d'accalmie. Il balance le sac marin sur son dos et grimace lorsque la courbe rigide du casque frappe violemment son omoplate. Le car passe la première en trépidant et continue vers Boone. Ensuite il n'y a que le bruit de l'eau. Il s'avance sur le pont et s'attarde un petit peu au-dessus du confluent de la New River. La neige sur les berges donne à l'eau une apparence sombre et immobile, comme l'eau d'un puits. Un peu plus bas en aval, Holder Branch, le ruisseau qui prend sa source sur les terres de sa famille, se jette dans la rivière. Sa main droite serre les revers de sa veste autour de son cou au moment où il quitte le pont et entame les trois kilomètres de montée de Goshen Mountain.

Il se demande combien de fois il a fait cette balade dans sa tête au cours des deux dernières années. Six cents fois, davantage, qui sait ? Toutes ces nuits où il était étendu sous sa tente sans dormir, le torse nu couvert de sueur alors que les tirs sporadiques de snipers et de mortier vrillaient le bourdonnement et le ronron des insectes. Parce qu'il savait que les océans étaient parcourus par des courants comme les ruisseaux et les rivières, il imaginait une goutte d'eau qui irait de chez lui en Caroline du Nord jusqu'aux flots verts du Pacifique Sud. Il refaisait le trajet de cette goutte jusqu'à sa source – retraversait d'abord le Pacifique et prenait le canal de Panamá, franchissait ensuite le golfe du Mexique et remontait le Mississippi jusqu'à l'Ohio River, puis la New River, puis le confluent de la New River, et finalement Holder Branch. Parfois il n'arrivait même pas jusqu'au bout. Quelque part entre ce que son grand-père appelait la « route à péage de Boone » et la ferme de sa famille, il s'endormait.

Des flocons de neige s'accrochent à ses cils. Il les chasse et serre encore davantage le col de sa veste. La nuit tombe et il baisse les yeux vers son poignet, oubliant que sa montre a disparu, perdue ou volée quelque part entre les Philippines et la Caroline du Nord. Il passe devant le champ où son oncle Abe et lui chassaient le lapin, puis devant la ferme de son oncle, le tracteur que personne n'a conduit depuis juin rouillant dans la grange. Pas de lumière aux fenêtres, sa tante est à Boone chez sa fille jusqu'à ce que le temps se radoucisse. Le ruisseau longe la route à présent, mais un capuchon de glace étouffe le bruit de l'eau, tout comme la neige étouffe ses pas. Le monde est aussi silencieux qu'après que le sniper japonais lui a tiré dessus du haut d'un palmier.

Il n'a pas entendu le coup de feu mais il l'a senti – une sensation pareille à un poing métallique percutant le bord de son casque. Jeté à terre, il a levé les yeux et vu le soldat japonais éjecter la cartouche utilisée. Bien qu'étourdi, il a réussi à lever son fusil mitrailleur, le Browning automatique vacillant dans sa main tandis qu'il vidait son chargeur. Le tireur est tombé à travers les feuilles et a atterri sur le dos, le sang s'accumulant sur le devant de sa chemise. Le soldat japonais n'a pas tenté de se relever, mais sa main droite est montée lentement et a dégagé une fine chaîne d'argent sous son col. Il a touché une chose fixée à la chaîne, l'a touchée comme s'il voulait simplement s'assurer qu'elle était toujours là, puis a laissé retomber sa main sur le sol. Peterson, le toubib, avait soutenu que les Japonais ne vénéraient que leur empereur. Il l'avait cru, parce que Peterson était allé à la fac et serait médecin quand la guerre serait finie. Mais alors il a vu que Peterson se trompait, parce que le blessé avait une croix en argent autour du cou.

Le mourant a parlé. Les paroles ne semblaient ni courroucées ni provocantes. À ce moment-là, le reste de la section était à côté d'eux. Peterson s'est mis à genoux, a tiré sur la chemise du soldat pour l'ouvrir et a jeté un coup d'œil à l'intérieur.

« Qu'est-ce qu'il a dit ? a-t-il demandé à Peterson.

– J'en sais rien, bordel ! Il doit vouloir de l'eau. »

Il tendait sa gourde à Peterson quand le Japonais a poussé un dernier soupir. D'un geste brusque, Peterson a arraché la croix passée autour du cou du soldat.

« Ta prise, péquenot », a dit Peterson, et il la lui a tendue. « C'est de l'argent. Tu en tireras bien deux ou trois dollars. »

Il hésitait, et Peterson a souri.

« Si t'en veux pas, je la prends. »

Alors il l'a prise.

« Je n'ai pas fouillé ses poches, a dit Peterson en se relevant. Tu peux le faire, toi. »

Peterson et le reste de la section sont partis là où une voûte de palmiers offrait davantage d'ombre. Une fois seul, il s'est agenouillé à côté du soldat japonais, en tournant le dos aux autres.

« T'as rien trouvé de plus ? a demandé Peterson lorsqu'il les a rejoints.

– Non. »

La neige tombe plus dru, des congères se formant là où la route décrit une courbe. Elle rend la vision difficile et il suit la chaussée autant de mémoire que de vue. La route vire à gauche et la pente s'accentue. Il respire difficilement maintenant, déshabitué de l'air raréfié de la montagne, qui se raréfie davantage à chaque pas menant vers le sommet de Goshen Mountain. Aux Philippines l'air était si humide que c'était comme respirer de l'eau. La lumière déclinante du jour teinte la neige de bleu.

La route s'aplanit et il distingue tout juste la flèche noire entre les flocons et les arbres, puis le bâtiment en bois lui-même. Il s'avance dans le cimetière et s'en va à l'arrière. Il s'appuie au piquet de la clôture en barbelés et regarde les tombes. Il plisse les yeux et voit la nouvelle pierre tombale, et l'espace d'un instant ne peut chasser l'impression désagréable que c'est la sienne, qu'en fait il est toujours aux Philippines, en train de rêver, peut-être même mourant ou mort. Mais c'est le nom de son oncle sur la pierre, pas le sien.

Il retourne sur la route et passe devant chez Lawson Triplett puis franchit un pont en planches, le ruisseau filant dessous pour s'en aller couler à gauche de la route. « Un fantôme est incapable de traverser une eau tumultueuse », lui a dit un jour son père.

Il sait qu'il y a des montagnes au Japon, certaines si hautes que la neige ne fond jamais sur leurs cimes. L'homme qu'il a tué aurait pu être originaire de ces montagnes, un agriculteur comme lui, aussi peu habitué que lui aux nuits humides et bruyantes des îles – un homme habitué aux nuits où tout ce que l'on entend c'est le vent. Il se souvient de s'être agenouillé à côté du soldat japonais, la croix et la chaîne serrées dans sa main tandis qu'il récitait une courte prière. Puis il a inséré ses doigts entre les dents du mort, les a suffisamment écartées pour glisser la croix et la chaîne sur la langue raidie.

Il passe d'un pas lourd devant le pré de Tom Watson, un peu plus loin devant le grand hêtre auquel il grimpait enfant. La neige se calme un peu et il y voit mieux. Le ruisseau coule près de la route, à peine plus qu'un filet d'eau alors qu'il touche à sa source.

La route tourne une dernière fois. Du côté droit il y a la clôture en barbelés qui borde la propriété de sa famille. Il passe au-dessus des terres basses où son père et lui planteront du maïs et des choux dans quelques mois. Il imagine la terre noire, grasse et silencieuse enfouie loin sous la neige, qui est là à attendre de nourrir les graines qu'ils sèmeront.

En approchant de la ferme il aperçoit une bougie à la fenêtre, et il sait qu'elle a été allumée chaque soir depuis un mois, mise là pour lui, pour le guider, guider ces quelques derniers pas. Mais il n'entre pas, pas encore. Il monte à la cabane garde-manger abritant la source et sort son casque du sac marin. Il remplit le casque d'eau et boit.

Dans la gorge

Sa grand-tante était née sur cette terre-là, y avait vécu huit décennies, et la connaissait aussi bien qu'elle connaissait son mari et ses enfants. Voilà ce qu'elle avait toujours soutenu, et elle était capable de vous annoncer à la semaine près quand la première fleur de cornouiller illuminerait la crête, la première mûre serait assez noire et ronde pour être cueillie. Puis son esprit s'était égaré en un lieu où elle n'avait pu le suivre, emportant avec lui tous les gens de son entourage, leurs noms et les liens qui les unissaient, s'ils vivaient encore ou s'ils étaient morts. Mais son corps s'était attardé, dépouillé d'un être intime, aussi vide qu'une carapace de cigale.

La connaissance de la terre était l'unique souvenir ayant refusé de s'évaporer. Pendant la dernière année où elle avait vécu, lorsqu'il descendait du car scolaire Jesse voyait sa grand-tante biner un champ derrière sa maison, retournant le sol pour une récolte qu'elle ne semait jamais, mais les rangs étaient toujours droits, creusés à la bonne profondeur. Son neveu, le père de Jesse, travaillait dans un champ attenant. Les deux ou trois premières fois, il lui avait ôté la binette des mains et l'avait ramenée chez elle, mais elle était bien vite retournée dans le champ. Au bout d'un certain temps, voisins et parents l'avaient laissée biner. Ils lui apportaient à manger et venaient la voir aussi souvent que possible. Jesse passait toujours en vitesse devant son champ. Sa grand-tante ne relevait jamais la tête, le regard rivé sur la lame de la binette et la terre sombre que l'outil brassait, mais il craignait toujours qu'elle ne lève les yeux et ne se rende compte de sa présence, quoiqu'il n'aurait su dire ce qu'elle aurait pu vouloir lui faire savoir.

Puis un jour de mars elle disparut. Les hommes du village la cherchèrent tout l'après-midi et jusque dans la soirée alors que la température chutait, que la neige fondue crépitait et sifflait comme des parasites. Les hommes se déployèrent en cercles de plus en plus larges tandis qu'ils allumaient des lanternes et pénétraient dans la gorge. Jesse regardait depuis le pré familial les flammes tenues à bout de bras rapetisser, disparaître rapidement puis réapparaître tels des feux follets, franchir le ruisseau et dépasser le lopin où il aidait son père à ramasser le ginseng, s'enfoncer davantage dans les terres qui étaient dans la famille depuis presque deux cents ans, et se diriger vers la première ferme, celle où elle était née.

Ils trouvèrent sa grand-tante à l'aube, adossée à un arbre, semblant attendre l'arrivée de ceux qui étaient partis à sa recherche. Mais ce n'était pas là le plus étrange. Elle avait retiré ses chaussures, sa robe et ses dessous. Des années plus tard, Jesse lut dans un magazine que c'était ce que faisaient les gens mourant d'hypothermie, convaincus que la chaleur, et non le froid, était en train de les tuer.

À l'époque, les bois étaient communaux, les panneaux PROPRIÉTÉ PRIVÉE un affront, mais après sa mort les voisins trouvèrent bientôt des lieux autres que la gorge pour chasser et pêcher, cueillir des mûres et des feuilles de galax. Son fantôme était toujours là-bas, pour nombre d'entre eux, y compris le père de Jesse, qui ne retourna jamais récolter le ginseng qu'il avait planté. Quand le Service du parc régional fit une offre d'achat pour la ferme, le père et les tantes de Jesse vendirent. C'était en 1959, et le gouvernement paya soixante dollars l'arpent.

Cinq décennies plus tard, Jesse se tenait sur sa galerie et regardait à l'est vers Sampson Ridge, où des bulldozers rasaient bois et pâturages pour une nouvelle enclave résidentielle protégée. Il se demandait combien valaient à présent ces soixante arpents. Un million de dollars, facile. Non pas qu'il ait eu besoin d'autant d'argent. Sa maison et vingt arpents de terre étaient finis de payer, son pick-up aussi. La parcelle de tabac rapportait moins chaque année, mais encore assez pour un veuf ayant de grands enfants. Assez tant qu'il n'avait pas besoin d'aller à l'hôpital ou que son pick-up ne coulait pas une bielle. Pour ça, il lui fallait un petit peu plus d'argent de côté. Pas un million, mais un petit peu plus.

Voilà pourquoi deux automnes plus tôt Jesse s'était rendu dans la gorge, en longeant le ruisseau jusqu'à l'ancienne maison de ferme, puis avait gravi la face nord ombreuse de la montagne où son père avait semé et récolté son ginseng. La culture était là, demeurée visiblement intacte durant un demi-siècle. Certaines plantes dépassaient les rotules de Jesse, et il y avait davantage de ginseng que son père aurait pu en rêver, le flanc d'une colline constellé d'éblouissantes feuilles jaunes, suffisamment de racines pour gonfler son havresac. Il avait replanté les graines avec soin, tout comme son père l'avait fait, puis il était ressorti de la gorge, avait franchi la grille interdisant aux véhicules d'emprunter la route forestière. Un panneau jaune en fer-blanc cloué à un arbre voisin annonçait : U.S. PARK SERVICE.

Maintenant un nouvel automne était là. Un automne humide, ce qui était bénéfique pour les plantes, comme Jesse l'avait constaté trois jours plus tôt lorsqu'il était monté voir. Une fois de plus il ramassa le havresac et le déplantoir dans le bûcher. Il prit aussi le Colt .32-20 dans le tiroir de sa chambre. Un peu tard dans l'année pour les serpents, mais après des jours de pluie l'après-midi était assez doux pour qu'un serpent à sonnette ou une vipère cuivrée sorte se chauffer au soleil.

Il suivit l'ancienne route forestière, le sac à dos vert pendu à son épaule et le revolver glissé dans la poche extérieure. Ses genoux arthritiques le firent souffrir dans la descente. Ils le feraient souffrir davantage le soir venu, même après y avoir passé du liniment. Il se demanda combien d'automnes encore il serait capable d'entreprendre cette expédition. Jusqu'à ce que j'aie soixante-dix ans, pensa-t-il, s'octroyant deux années supplémentaires. Le sol était glissant à cause des pluies abondantes et il avançait à petits pas. Une cheville ou une jambe cassée serait un gros ennui, aussi loin de tout secours, mais il n'y avait pas que ça. Il voulait pénétrer dans la gorge avec respect.

Lorsqu'il arriva en vue de la ferme, le terrain s'aplanit mais le sol était davantage gorgé d'eau, surtout là où le ruisseau coulait près de la route. Jesse aperçut des empreintes de grosses chaussures datant de trois jours. Puis il en vit d'une autre paire, remontant la route forestière en sens inverse. Des empreintes de brodequins là aussi, mais plus petites. Jesse parcourut la route des yeux mais ne vit ni marcheur ni pêcheur. Il se mit à genoux, faisant grincer ses articulations.

Ces empreintes semblaient dater d'une journée, peut-être plus. Elles s'interrompaient sur la route là où elles rejoignaient celles de Jesse, puis tournaient elles aussi vers la maison. Jesse se releva et regarda de nouveau autour de lui avant de s'avancer dans le barbon à balais et l'eupatoire pourpre flétris. Il passa devant un monticule de pierres qui autrefois avaient constitué une cheminée, devant un puits à sec recouvert d'une plaque de tôle tellement rouillée qu'elle servait davantage d'avertissement que de protection. Les empreintes n'étaient plus visibles mais il savait où elles finiraient. J'y ai conduit ce salaud tout droit, se dit-il, en se demandant comment il avait pu être assez bête pour emprunter la route un matin de pluie. Mais quand il arriva au faîte les plantes étaient toujours là, le sol intact autour d'elles. Probablement un marcheur, ou un ornithologue amateur, c'est tout, se dit Jesse, ça ou un petit voyou cherchant à braconner la marijuana de quelqu'un, sans savoir que le ginseng valait encore plus cher. Dans l'un ou l'autre cas, il avait eu une sacrée chance.

Il tira le déplantoir du sac à dos et se mit à genoux. Il huma la terre noire et grasse qui lui faisait toujours penser au café. Les plantes étaient plus colorées que trois jours plus tôt, les baies d'un rouge plus sombre, les feuilles aussi brillantes que de l'or poli. Il était toujours ébahi qu'un tel éclat puisse sortir d'une terre que le soleil touchait rarement, c'était comme trouver des rubis et des saphirs sur les parois ténébreuses d'une grotte. Il travaillait avec minutie mais aussi à la hâte. La première fois qu'il était revenu ici deux ans auparavant il avait senti une brusque fraîcheur, une légère diminution de la lumière, comme si un nuage était passé devant le soleil. Je me fais des idées, s'était-il dit alors, mais cette sensation l'avait poussé à travailler plus vite, sans prendre de repos.

Jesse piqua le déplantoir dans le sol glaiseux, le sonda avec précaution afin de ne pas trancher la racine, qu'il ramena lentement à la lumière. Elle était grosse, une bonne quinzaine de centimètres, et des vrilles jaillissaient de son centre, pareilles à la représentation en argile de membres humains. Il racla la terre et déposa la racine dans son sac à dos, enfouit tout aussi soigneusement les graines pour garantir une nouvelle récolte. Alors qu'il se traînait à quatre pattes un peu plus à gauche pour déraciner une autre plante, il sentit la terre humide s'infiltrer aux genoux dans son blue-jean. Il aimait être ainsi tout près de la terre, la humer, la sentir sur ses mains et sous ses ongles, comme lorsqu'il repiquait des brins de tabac au printemps. Une chanson qu'il avait entendue à la radio s'insinua dans ses pensées, une femme qui voulait réduire en cendres une ville entière. Il laissa la mélodie se dérouler dans sa tête et tenta de chanter le refrain tout en poussant le déplantoir dans le sol.

« Vous pouvez poser ce déplantoir, lança une voix derrière lui. Et ensuite levez les mains en l'air. »

Jesse se retourna et vit un homme en chemise grise et pantalon de treillis vert, un insigne doré épinglé sur la poitrine et un écusson *U.S. Park Service* cousu sur l'épaule. Des cheveux blonds coupés court, des yeux noirs. Un jeune homme, peut-être même pas la trentaine. Un pistolet était glissé dans un étui suspendu à sa hanche droite, la courroie de sécurité détachée.

« Ne vous relevez pas », dit l'homme, plus fort cette fois.

Jesse obéit. Le garde forestier s'approcha, ramassa le sac à dos et s'écarta. Jesse le regarda ouvrir le compartiment contenant la racine de ginseng, puis la poche plus petite. Le garde sortit le .32-20 et le tint dans sa paume. L'arme avait appartenu au grand-père et au père de Jesse avant de lui revenir. Le garde l'examina comme il l'aurait fait d'une pointe de flèche ou de lance qu'il aurait trouvée.

« C'est juste pour les serpents, expliqua Jesse.

– Le port d'arme est prohibé dans le parc, déclara le garde. Vous avez enfreint deux lois, des lois fédérales. Ça vous vaudra d'aller en prison. »

Il sembla vouloir en dire davantage, puis parut se raviser.

« C'est pas juste, dit Jesse. C'est mon père qui a semé les graines sur ce lopin. Ce ginseng ne serait même pas là sans lui. Et le revolver, si je braconnais j'aurais une carabine ou un fusil de chasse. »

Ce qui se passait ne semblait pas tout à fait réel. Le monde, le sol même sur lequel se tenait Jesse paraissaient s'évaporer sous ses pieds. Il s'attendait presque à ce que quelqu'un, sans pourtant savoir qui, sorte du bois en riant du bon tour qu'on venait de lui jouer.

Le garde mit le revolver dans le sac à dos. Il détacha le talkie-walkie de son ceinturon, appuya sur un bouton et parla :

« Ça y est, il est revenu et je l'ai pincé. »

Une voix grésillante répondit, les paroles indistinctes aux oreilles de Jesse.

« Non, il est trop vieux pour me donner beaucoup de fil à retordre. On attendra sur la route forestière. »

Le garde appuya sur un bouton et raccrocha le talkie-walkie à son ceinturon. Jesse lut le nom sur le badge doré. *Barry Wilson.*

« Vous seriez pas parent avec les Wilson de Balsam Mountain ?

– Non. J'ai grandi à Charlotte. »

Le talkie-walkie grésilla et le garde le prit, répondit « OK », puis le remit à son ceinturon.

« Appelez le shérif Arrowood, demanda Jesse. Il vous dira que je n'ai encore jamais eu d'ennuis. Jamais, même pas une contravention pour excès de vitesse.

– Allons-y.

– Ne pouvez-vous pas tout simplement passer l'éponge ? dit Jesse. C'est pas comme si je cultivais de la marijuana. Y en a plein qui le font dans ce parc. Je le sais bien. C'est pire que ce que j'ai fait. »

Le garde sourit.

« On finira par les attraper, mon vieux, mais ils en ont un peu plus que vous dans la cervelle. Ils ne sont pas assez abrutis pour nous laisser des empreintes qu'il nous suffit de suivre. »

Le garde suspendit le sac à dos à son épaule.

« Vous n'avez pas le droit de me parler comme ça », protesta Jesse.

Ils étaient toujours loin l'un de l'autre, mais le garde parut envisager de faire un nouveau pas en arrière.

« Si vous comptez me donner du fil à retordre, moi je vous passe les menottes tout de suite. »

Jesse faillit dire au jeune homme d'essayer un peu pour voir, mais il se força à regarder par terre, à se maîtriser avant de parler.

« Non, je ne vous donnerai pas de fil à retordre », finit-il par répondre en levant les yeux.

D'un signe de tête, le garde désigna la route forestière.

« Alors, après vous. »

Jesse passa devant le garde, traversa le barbon à balais et longea la cheminée en ruine, le garde à sa droite, deux pas en arrière. Il obliqua un peu vers la gauche, de manière à passer près de l'ancien puits. Il s'arrêta et se retourna pour lancer un regard au garde.

« Mon déplantoir, il faudrait que je le récupère. »

Le garde s'arrêta à son tour et s'apprêtait à répondre lorsque Jesse s'élança et le poussa des deux mains vers le puits. Le garde ne bascula pas, jusqu'à ce qu'un pied traverse la tôle pourrie, puis l'autre. À ce moment-là, le sac à dos lui échappa. Il ne passa pas entièrement au travers de la tôle, seulement jusqu'aux bras, ses ongles égratignant le métal pour faire levier, avec l'air d'un homme pris dans de la glace mêlée de boue. Ses mains trouvèrent où s'accrocher, l'une à un écheveau de barbon à balais, l'autre au bord plus solide du fer. Il commença à se hisser hors du puits, grimaçant alors que la plaque rouillée arrachait le tissu et la peau. Il regarda Jesse, qui se tenait au-dessus de lui.

« Vous êtes vraiment dans la merde, maintenant », dit-il en haletant.

Jesse se pencha et tendit le bras non pas vers la main du jeune homme mais vers son épaule. Il poussa fort. Les mains du garde n'empoignèrent que de l'air tandis qu'il traversait le métal pourri. Un choc sourd et simultanément un craquement d'os lorsqu'il heurta le fond sec du puits. Quelques secondes s'écoulèrent mais aucun autre son ne monta de l'obscurité.

Le sac à dos traînait sur le bord et Jesse s'en empara. Il s'enfuit, non pas vers sa ferme mais dans les bois. Il ne se retourna pas, traversa le lopin de ginseng à quatre pattes et gravit la colline, sa respiration de violents halètements. Les arbres se firent plus denses autour de lui, chênes et peupliers, quelques sapins ciguës. La couche de terre était mince et humide, et il glissa plusieurs fois. À mi-chemin vers la crête il fit une pause, son cœur martelant sa poitrine. Quand celui-ci finit par se calmer, Jesse entendit un véhicule remonter la route et aperçut une Jeep vert clair du service forestier. Un homme et une femme en sortirent.

Jesse poursuivit son chemin, traversa un autre lopin de ginseng, de probables descendants des premiers semis de son père. Plus vite il atteindrait la crête, plus vite il pourrait la franchir pour rejoindre l'entrée de la gorge. Il avait les jambes lourdes à présent et n'arrivait pas à reprendre haleine. Les kilos qu'il avait pris les deux ou trois dernières années s'étalaient par-dessus sa ceinture, lui donnant davantage de poids à traîner. La tête lui tourna et il glissa et dérapa en descente sur quelques mètres. Pendant un instant il resta étendu immobile, vautré sur le terrain en pente, bras et jambes écartés. Il sentit des feuilles protéger l'arrière de son crâne, un gland calé contre une omoplate. Au-dessus de lui, des branches de chêne trouaient un ciel qui s'obscurcissait. Il se rappela le conte où il était question d'un haricot géant et se dit qu'il serait bien pratique de grimper tout simplement dans les nuages.

Jesse se déplaça pour que son visage soit tourné vers le bas, une oreille contre le sol comme à l'écoute du moindre bruit de pas. Il semblait tellement injuste d'avoir soixante-huit ans et de fuir pour échapper à quelqu'un. La vieillesse était censée vous conférer dignité et respect. Il se souvint de la nuit où les sauveteurs avaient sorti sa grand-tante de la gorge. Les hommes avaient ôté leurs lourds manteaux pour la couvrir et l'avaient portée à tour de rôle. Ils étaient sombres et silencieux lorsqu'ils étaient entrés dans la cour. Même après que les femmes avaient emporté le corps dans la maison pour le laver et l'habiller, ils étaient restés sur la galerie de sa grand-tante. Certains avaient fumé des cigarettes qu'ils roulaient eux-mêmes, d'autres avaient gonflé leur joue d'une chique de tabac. Jesse s'était assis sur la première marche montant à la galerie et avait écouté, sachant qu'ils oubliaient vite sa présence. Ils n'avaient pas raconté comment ils avaient trouvé sa grand-tante, ni parlé des fois où elle était sortie de chez elle et avait erré dans le jardin. Non, ils avaient évoqué une femme capable de vous prédire le temps du lendemain en regardant le ciel du soir, une femme pieuse qui avait fait le catéchisme jusqu'à soixante-dix ans passés. Ils avaient raconté des anecdotes sur elle, et chacune était relatée avec déférence, comme si maintenant qu'elle était morte sa grand-tante s'était une fois de plus métamorphosée, avait retrouvé sa vraie nature.

Jesse se releva lentement. Il ne s'était pas tordu une cheville ni cassé un bras, ce qui semblait son premier coup de chance depuis qu'il était entré dans la gorge. Lorsqu'il atteignit la crête, ses jambes étaient si faibles qu'il se cramponna à un jeune érable pour se laisser glisser au sol. Il jeta un coup d'œil à travers la cascade des arbres. Une fourgonnette orange et blanc de l'équipe de secours était arrivée. Des employés étaient rassemblés autour du puits, et Jesse ne voyait pas trop ce qu'ils faisaient mais bientôt on emporta une civière vers le véhicule. Jesse était trop loin pour dire dans quel état était le garde, si même il était vivant.

Au moins un bras cassé, ou une jambe, Jesse le savait, et il s'efforça de penser à une blessure qui arrangerait les choses, une commotion cérébrale qui ferait oublier au garde ce qui s'était passé, ou bien le jeune homme souffrant au point que, sous le choc, il ne se rappellerait rien. Il tâcha de ne pas penser que la fracture pouvait être dans le dos ou dans la nuque.

Les portières arrière de la fourgonnette se refermèrent de l'intérieur et le véhicule s'engagea sur la route forestière. La sirène n'était pas branchée mais le signal lumineux baignait les bois de rouge. La femme fouillait la colline à la jumelle, passant sans s'arrêter sur l'endroit où était assis Jesse. Un autre pick-up vert des services forestiers arriva, deux gardes de plus en jaillirent. Puis la voiture du shérif Arrowood, aussi silencieuse que l'ambulance.

Le soleil était maintenant passé derrière Clingman's Dome, et Jesse savait qu'attendre plus longtemps ne ferait que rendre les choses plus pénibles. Il avança, hébété de fatigue, trébuchant sur des racines et des pierres, vacillant comme un ivrogne. Lorsqu'il serait assez loin, il pourrait quitter la crête, gravir la petite entrée de la gorge. Mais il était tellement épuisé qu'il ne savait pas comment il pourrait aller plus loin sans se reposer. Ses genoux grinçaient os contre os, claquant et craquant chaque fois qu'ils se pliaient ou se tordaient. Il haletait, respirait bruyamment et imaginait ses poumons comme un accordéon qui ne s'ouvrirait jamais assez.

Vieux et abruti. C'était ce qu'avait dit de lui le garde. Un vieil homme, certainement. Son corps le lui rappelait chaque matin au réveil. Le liniment qu'il passait tous les matins et tous les soirs sur ses articulations et ses muscles lui donnait l'impression d'être une machine grinçante et mangée de rouille qu'il fallait graisser et faire chauffer avant qu'elle crachote et prenne vie. Peut-être un abruti aussi, reconnut-il, car qui d'autre qu'un abruti aurait pu se fourrer dans un pétrin pareil.

Jesse trouva un chêne abattu et s'assit. Une erreur car il ne pouvait imaginer rassembler l'énergie pour se relever. Il regarda entre les arbres. La voiture du shérif Arrowood était partie, mais le pick-up et la Jeep étaient toujours là. Il n'aperçut qu'une seule personne et sut que les autres fouillaient les bois pour le trouver. Un corbeau lança un croassement, plus haut sur la crête. Ensuite pas d'autre son, même pas le vent. Jesse prit le sac à dos et le jeta dans les bois épais en dessous, le regardant dégringoler hors de vue. Du gâchis, mais il ne pouvait pas prendre le risque, s'ils fouillaient sa maison. Il songea à se débarrasser aussi du revolver, mais il avait appartenu à son père, au père de son père avant cela. D'ailleurs, s'ils trouvaient l'arme chez lui, rien ne prouverait que c'était celle qu'avait vue le garde. Ils n'avaient pas la moindre preuve de quoi que ce soit, à vrai dire. Même sa présence dans la gorge, ce n'était que la parole du garde contre la sienne. S'il parvenait à rentrer chez lui.

La nuit tombait vite maintenant, l'obscurité refermant les vides entre les troncs d'arbres et les branches. En dessous, de puissantes lampes-torches clignotaient. Jesse se rappela deux semaines après l'enterrement de sa grand-tante. Graham Sutherland était sorti de la gorge tremblant et le teint crayeux, incapable d'expliquer ce qui s'était passé jusqu'à ce que le père de Jesse lui ait versé un coup de whiskey. Graham pêchait près de l'ancienne maison et avait entraperçu quelque chose sur la berge d'en face, rien qu'un instant. C'était un après-midi de printemps ensoleillé, pourtant dans la gorge le temps était devenu brutalement froid et humide. Et alors Graham l'avait vue, s'avançant vers lui entre les arbres, les bras tendus. « Me suppliant de la rejoindre, leur avait raconté Graham. Sans parler, mais laissant ce froid et cette humidité pénétrer mes os pour que je ressente ce qu'elle ressentait. Elle ne l'a pas dit tout fort, peut-être qu'elle ne le pouvait pas, mais elle voulait que je reste là-bas avec elle. Elle ne voulait pas être seule. »

Jesse continua à marcher, sans s'arrêter avant d'avoir trouvé un endroit par où descendre. Une lampe-torche s'agita plus bas, celui qui la tenait se fondant dans l'obscurité. La lumière dansait comme dans le courant d'une rivière, une rivière qui coulerait vers le haut jusqu'à la grille bornant le domaine des services forestiers. Puis la lumière pivota, repartit en se balançant le long de la route forestière. Quelqu'un cria et les lumières disparates se rassemblèrent telles des étincelles rejoignant leur source. Des phares et des moteurs s'animèrent, deux paires de feux arrière rouges pâlirent et disparurent bientôt.

Jesse descendit la pente, en se tenant de biais, une main près du sol au cas où il glisserait. Des branches basses lui giflèrent le visage. Une fois arrivé en terrain plat, il laissa quelques minutes s'écouler, guettant des pas ou une toux sur la route forestière, quelqu'un laissé là pour le faire sortir par la ruse. Pas de lune dans le ciel mais des étoiles au-dessus de sa tête, assez de lumière pour qu'il distingue une forme humaine.

Il remonta la route forestière sans bruit. Rentre à la maison et tout ira bien, se dit-il. Il parvint à la grille et se faufila par-dessous. Et, seulement à ce moment, il lui vint soudain à l'idée que quelqu'un pourrait l'attendre chez lui. Il partit vers la gauche et s'arrêta à l'endroit où une clôture en barbelés délimitait le bord du pré. Les lampes de la maison étaient restées éteintes, telles qu'il les avait laissées. Sa main toucha un brin de barbelé affaissé et il éprouva un vague réconfort à le trouver là, si familier. Il allait s'approcher davantage quand il entendit un pick-up, vit bientôt ses phares jaunes franchir Sampson Ridge. Dès que le pick-up s'engagea dans l'allée, la lampe extérieure s'alluma. Le shérif Arrowood apparut sur la galerie, une des chemises de Jesse à la main. Deux hommes descendirent du pick-up et ouvrirent le hayon arrière. Des chiens policiers bondirent et dégringolèrent du plateau du véhicule en geignant tandis que les hommes ramassaient leurs laisses. Il fallait qu'il retourne dans la gorge, et vite, mais ses jambes étaient brusquement aussi raides et dures que des piquets en fer. Ce n'est que la peur, se dit-il. Il empoigna l'une des pointes rouillées de la clôture et serra jusqu'à ce que la douleur remette en contact son corps et son esprit.

Jesse suivit la déclivité du terrain, repassa sous la grille. La route forestière s'aplanit et il aperçut la silhouette de la cheminée en ruine. À mesure qu'il approchait de la ferme, la cheminée se solidifia, devint plus noire que la nuit qui l'environnait, comme si c'était un couloir sans lumière ouvrant sur une obscurité plus profonde.

Jesse sortit le .32-20 de sa poche et laissa le poids du revolver reposer dans sa main. S'il se faisait prendre avec, il n'en aurait que plus d'ennuis. Jette-le tellement loin qu'ils ne le trouveront pas, se dit-il, parce qu'il y a des empreintes dessus. Il se tourna vers les bois et lança l'arme, manquant tomber sous le coup de l'effort. Le revolver parcourut moins d'un mètre avant de percuter violemment un arbre avec un bruit sourd et d'atterrir près de la route forestière, sinon dessus. Il n'avait pas le temps de le chercher, parce que les chiens étaient maintenant à l'entrée de la gorge, des lampes-torches plongeant et remontant derrière eux. Il devinait aux aboiements des molosses qu'ils étaient déjà sur sa piste.

Jesse entra dans l'eau du ruisseau, avec l'espoir que les chiens perdent peut-être sa trace. Si cela fonctionnait, il pourrait s'en retourner et retrouver le revolver. Le peu de lumière qu'avaient dispensé les étoiles fut mouché comme une chandelle tandis que le ruisseau quittait le bord de la route et pénétrait dans les bois. Jesse se cognait aux berges, trébuchait dans des trous d'eau plus profonds qui détrempèrent son pantalon, ses godillots et ses chaussettes. Il tomba et quelque chose se déchira dans son épaule.

Mais son plan fonctionna. Il y eut bientôt un désordre d'aboiements et de hurlements, les lampes-torches cessèrent de le suivre, balayant maintenant les bois depuis un point fixe.

Jesse sortit du ruisseau et s'assit. Il frissonnait, l'esprit en déséquilibre, chaque pensée penchant vers la panique. Tout en vidant l'eau de ses chaussures, il se souvint que ses empreintes menaient droit de chez lui au lopin de ginseng. Ils avaient les moyens de faire coïncider des chaussures et leurs empreintes, et pas simplement une certaine taille de pied et une marque. Il avait vu dans une émission de télé qu'ils pouvaient même faire coïncider la partie usée de la semelle avec une empreinte. Il fourra les chaussettes dans ses chaussures et en bombarda l'obscurité. Comme le revolver, elles n'allèrent pas bien loin avant de heurter quelque chose de dur.

Il lui fallut un bon bout de temps pour retrouver l'ancienne route forestière, et même quand il fut enfin dessus il était si désorienté qu'il ne sut trop quelle direction prendre. Il marcha un peu et déboucha dans un terrain de camping du parc, il s'était donc trompé. Il fit demi-tour et repartit en sens inverse. Il lui sembla que des années s'étaient écoulées avant qu'il revienne enfin à la ferme. Un feu de camp brillait maintenant et jetait des étincelles entre la ferme et la grille, les hommes lancés à sa poursuite blottis autour. Le revolver traînait quelque part près d'eux, peut-être déjà découvert. Plusieurs chiens aboyèrent, impatients de repartir en chasse, mais les hommes qui cherchaient Jesse avaient manifestement décidé d'attendre le matin pour continuer. Bien qu'il fût trop loin pour les entendre, il savait qu'ils bavardaient pour passer le temps. Ils avaient probablement de quoi manger, peut-être aussi du café. Jesse s'aperçut qu'il avait soif et songea à retourner au ruisseau pour avoir de l'eau, mais il était trop fatigué.

De la rosée mouilla ses pieds nus lorsqu'il dépassa l'autre coin de la ferme, puis s'avança vers l'orée des bois où était le ginseng. Il s'assit, et en l'espace de quelques minutes sentit la fraîcheur de la nuit l'envelopper. Un avis de gelée, avait annoncé la radio. Il pensa à sa grand-tante qui s'était déshabillée, ce qui, malgré l'explication scientifique, lui paraissait une ultime abdication de tout ce qu'elle avait été autrefois.

Il tourna les yeux vers le ciel, à l'est. Il lui semblait avoir fui l'équivalent d'une semaine de nuits, pourtant il vit que les étoiles n'avaient pas commencé à pâlir. Les premières traînées roses sur la ligne de crête au loin ne paraîtraient pas de sitôt, dans des heures peut-être. La nuit s'attarderait assez longtemps pour ce qui viendrait ou ne viendrait pas. Il attendit.

Étoile filante

Elle comprend pas ce que ça me fait quand elle passe la porte le lundi et le mercredi soir. Elle sait pas que je reste assis dans le noir à regarder la télé mais que tout du long je guette sa voiture. Comprend pas que je suis même pas sûr qu'elle rentre jusqu'à ce que j'entende la Chevy prendre l'allée. Que un peu moins d'elle revient chaque fois, parce que après avoir été jeter un petit coup d'œil à Janie elle étale ses livres ouverts sur la table de la cuisine, et qu'elle pourrait aussi bien y être encore, dans sa foutue fac, tellement que son esprit il est à ce qu'elle est en train d'étudier. Je lui masse la nuque. Je dis que ce soir on pourrait peut-être aller se coucher un peu plus tôt. Je lui dis qu'y a plein de choses plus sympas à faire que de potasser un vieux bouquin. Elle sait bien de quoi je parle. « Je dois finir ce chapitre, elle dit, Lynn. Après, peut-être. » Mais ce « peut-être » vient jamais. Je vais au lit tout seul. Couler du béton c'est un boulot de jeune homme et moi je suis plus si jeune que ça. Y me faut tout le sommeil possible pour tenir la cadence.

« T'es plus tellement dans la course, Bobby, m'a lancé un jeune gaillard un après-midi où je soufflais comme un bœuf pour y arriver. Tu devrais te dégotter un boulot de mec assis, peut-être testeur de rocking-chair. » Ça les a tous bien fait marrer. M. Winchester, le chef, y s'est marré avec eux lui aussi. « Ce vieux Bobby il a encore un peu de vigueur en lui, pas vrai ? » il a dit, M. Winchester. Il a souri en le disant, mais y avait comme de la sincérité dans ses paroles. « Oui, monsieur, j'ai répondu. J'en suis même pas encore à mon second souffle. » M. Winchester, y s'est remis à rire, mais je savais qu'y m'avait à l'œil. Ça le gênera pas beaucoup de me virer quand je pourrai plus tirer mon fardeau.

Les soirs où Lynn se couche tard, je m'endors même pas tout de suite, alors que je suis à ramasser à la petite cuillère à cause du boulot. Je reste là dans le noir et je pense à un truc qu'elle a dit y a longtemps, le jour où elle a décidé de reprendre les études. « Tu devrais être fier que je veuille arriver à quelque chose dans la vie », elle a dit. C'est peut-être pas comme ça qu'elle le sent, mais je peux pas m'empêcher de penser qu'elle disait aussi : Bobby, c'est pas parce que t'es jamais arrivé à rien dans la vie que je dois faire pareil.

Je pense à un autre truc qu'elle m'a dit un jour. C'était à Noël pendant notre dernière année de lycée. Ses parents et ses frères y z'étaient finalement allés se coucher et tous les deux on était sur le canapé. Tout était éteint sauf les ampoules du sapin qui brillaient et clignotaient comme des petites étoiles. J'avais déjà ouvert le paquet où qu'y avait un pull pour moi. J'ai sorti la bague de ma poche et j'y ai donnée. J'ai tâché de faire le décontracté, pourtant je sentais ma main qui tremblait. On avait un peu parlé de se marier mais ça avait toujours été pour plus tard, quand j'aurais trouvé un bon boulot, quand elle aurait fait encore un peu d'études. Mais j'avais pas eu envie d'attendre si longtemps. Elle a passé la bague à son doigt, et même que c'était seulement un quart de carat elle y a pas prêté attention. « Ce qu'elle est jolie », elle a dit, Lynn. « Alors c'est oui ? » j'ai demandé. « Bien sûr. C'est ce que j'ai toujours voulu, plus que tout au monde. »

Alors je suis couché dans les nuits de la chambre à me rappeler des trucs et j'ai beau être à pas plus de trois mètres c'est comme si y avait une grande porte en verre entre moi et la table de la cuisine, et qu'elle était fermée du côté de Lynn. On pourrait tout autant habiter deux comtés différents pour ce qu'on est proches tous les deux. Un diamant ça peut découper le verre, y paraît, mais j'en suis plus tellement sûr.

Une nuit je rêve que je tombe. Il y a des branches d'arbre tout autour de moi mais j'arrive pas à en attraper une. J'arrête pas de tomber, de tomber sans fin. Je me réveille tout en sueur et le souffle court. Mon cœur bat fort comme si c'était un animal qui cherchait à me déchirer la poitrine. Lynn a le dos tourné, elle dort comme si elle avait pas l'ombre d'un souci. Je jette un coup d'œil au réveil et je vois que j'ai trente minutes avant qu'y sonne. Je dormirai plus de toute façon, alors j'enfile ma tenue de travail et j'entre en trébuchant dans la cuisine pour faire du café.

Les livres sont sur la table, des gros livres épais. J'ouvre le plus petit, qui s'appelle *L'Astronomie aujourd'hui*. J'en lis un peu et ça veut rien dire. Même les mots que je connais ont pas l'air de mener quelque part. Ça pourrait tout autant être des fourmis détalant sur la page. Mais Lynn les comprend. Faut croire, puisqu'elle a rien que des A à tous ses examens.

Je tâte le briquet dans ma poche et je pense qu'un livre c'est facile à brûler. Je pense qu'en cinq minutes ça serait plus que des cendres, des cendres que personne pourrait lire. Je me lève avant d'avoir trop le temps de m'appesantir sur ce genre de chose. Je vais jeter un petit coup d'œil à Janie qui s'est arrangée pour rejeter ses couvertures hors de son lit. Y a un mois qu'elle a démarré le cours élémentaire mais j'ai plutôt l'impression qu'y a un mois qu'on l'a ramenée de la maternité. « Ça arrive que les choses changent plus vite que ce qu'on est parfois capable de supporter », disait papa, et voilà que je découvre que c'est vrai. Chaque matin on dirait que Janie a encore poussé un petit peu.

« Je suis une grande fille maintenant », qu'elle dit à sa grand-mère, et c'est toujours accueilli par un bel éclat de rire. Je l'ai accompagnée pour son premier jour d'école cette année et ça n'a pas été comme pour le CP où elle a fondu en larmes quand Lynn et moi on l'a laissée. Elle était excitée cette fois, elle avait envie de voir ses copines. Je la tenais par la main quand on est entrés dans la salle de classe. C'était plein d'autres parents qui tournicotaient, les gamins cherchaient leur pupitre où ce qu'y avait leur nom dessus. J'ai bien regardé autour de moi. Un nid de frelons était collé à un mur et au fond un aquarium faisait des bulles, à côté d'un gros globe terrestre bleu comme j'en avais eu un dans ma classe en cours élémentaire. Sur la porte y avait écrit BIENVENUE en grandes lettres vertes. « Il faut que tu t'en ailles », elle a dit, Janie, en me lâchant la main. Et là seulement j'ai vu que les autres parents étaient déjà partis, les gamins sauf Janie tous assis à leur place. Ce soir-là au lit j'ai dit à Lynn que je trouvais qu'on devrait avoir un autre enfant. « On a tout juste de quoi habiller et nourrir celui qu'on a », elle a répondu, et puis elle m'a tourné le dos et s'est endormie.

C'est pas un truc que je remâche pendant quelques semaines et puis que je décide de faire. Je me laisse pas le temps de piger que c'est une mauvaise idée. Non, dès que Lynn a quitté l'allée je ramasse la chemise de nuit et la brosse à dents de Janie.

« Tu vas dormir chez grand-mère, je lui dis.

– Et l'école, alors ?

– Je passerai te prendre demain matin pour t'emmener en classe. Je t'apporterai ta tenue.

– Je suis obligée ? Elle ronfle, grand-mère.

– On discute pas. Enfile des chaussures et on y va. »

Je dis ça un peu en colère, et c'est nul parce que c'est pas Janie qui m'a mis de mauvais poil.

Quand on arrive chez maman, je m'excuse de pas l'avoir appelée avant mais elle dit que c'est pas grave.

« Y a rien qui cloche entre toi et Lynn ? elle demande.

– Non, mère », je réponds.

Je reprends la bagnole et je fais les huit kilomètres jusqu'à la fac. Je trouve la voiture de Lynn et je me gare pas loin. Je me dis que les cours ont tous commencé parce qu'y a pas un seul élève sur le parking. Y a pas de vigile dans les parages et ça m'a pas l'air d'une affaire bien compliquée. Je sors mon grand canif de la boîte à gants et je le fourre dans ma poche. Je reste dans l'ombre pour m'avancer vers le bâtiment le plus proche. Y a des grandes fenêtres et cinq salles de classe.

En une minute je l'ai trouvée, tout au premier rang, qui note chaque mot que dit le professeur. Je suis à côté d'une haie qui me cache presque entièrement, une chance parce que la lune et les étoiles brillent. Le prof c'est pas un vieux type à lunettes et à barbe grise, comme je l'avais imaginé. Il a pas de barbe, et peut-être même qu'il peut pas encore en avoir.

Tout à coup y s'arrête de causer et y passe la porte et le v'là bientôt qui sort du bâtiment et moi je me dis qu'il a dû me voir. Je m'accroupis dans les buissons et je me prépare à foncer vers le pick-up. Je me dis que si je dois l'assommer pour y arriver ça me dérange pas.

Mais y s'approche pas des buissons où que je suis. Y va droit sur une Toyota blanche garée entre la Chevy de Lynn et mon pick-up. Y fouille sur le siège arrière une minute avant de sortir des livres et des papiers.

Y revient, assez près pour que je sente de quoi y s'est aspergé la figure le matin. Je me demande pourquoi il a besoin de sentir tellement bon, qui y croit qui va aimer un gars qui sent les fleurs. De retour dans la salle de classe y distribue les bouquins. Lynn tourne les pages des livres tout doucement, comme s'ils allaient se casser si elle faisait pas tant de chichis.

Je me dis que j'ai intérêt à m'y mettre et à faire ce qui m'a amené ici. Je m'avance sur le bitume vers la Chevy. Je me mets à genoux à côté de la roue arrière gauche, le canif au poing. Je l'entaille bien profond et je m'arrête pas de couper avant d'entendre un sifflement. Je me relève et je regarde autour de moi.

Vraiment nul, le service de surveillance, je me dis. J'ai fait ce qui m'a amené ici mais je referme pas le couteau. Je me mets à genoux à côté de la Toyota blanche. Je commence à taillader le pneu et pendant une seconde c'est comme si je tailladais le visage jeune et lisse de ce type. Bientôt le pneu semble avoir passé dans une moissonneuse-batteuse.

Je monte dans mon pick-up et je repars chez nous. Je tremble mais je sais pas de quoi j'ai peur. J'allume la télé quand j'arrive mais c'est juste un truc comme ça en attendant que Lynn appelle. Sauf qu'elle appelle pas. Une demi-heure après la sortie de son cours, j'ai toujours pas eu de nouvelles. Y me vient une image dans ma tête d'elle toute seule dans le parking mais peut-être pas aussi seule et en sécurité qu'elle le croit avec le vigile en train de ronfler quelque part dans un bureau. Je me dis qu'elle a peut-être des ennuis, des ennuis à cause de moi. Je prends les clés de mon pick-up et je suis à moitié dehors quand des phares me figent sur place.

Lynn attend pas que je lui pose la question.

« Je suis en retard parce qu'un connard a tailladé mes pneus, elle dit.

– Pourquoi tu m'as pas appelé ?

– Le vigile a proposé de mettre la roue de secours, alors je l'ai laissé faire. C'était mieux que de t'obliger à faire huit kilomètres. »

Lynn passe devant moi et laisse tomber ses livres sur la table de la cuisine.

« Le docteur Palmer avait un pneu tailladé, lui aussi.

– Qui lui a changé son pneu ? »

Lynn me regarde.

« Lui.

– J'aurais pas cru qu'il aurait eu ce bon sens-là.

– Eh bien, si. C'est pas parce qu'on a de l'instruction qu'on ne peut rien faire d'autre. Où est Janie ? elle demande quand elle voit le lit vide.

– Elle a décidé d'aller dormir chez maman.

– Et comment elle ira à l'école demain matin ?

– Je la conduirai. »

Lynn arrange ses bouquins sur la table. Ils sont empilés là devant elle comme une grande assiette de nourriture qui la rend de plus en plus forte.

« Je suppose qu'y z'ont pas idée de qui a fait ça ? » je demande en tâchant de prendre un ton décontracté.

Lynn sourit pour la première fois depuis qu'elle est descendue de voiture.

« Ils ne tarderont pas à en avoir une bonne. Ce pauvre con s'est même pas aperçu qu'il y a des caméras de surveillance. Ils ont tout en vidéo, même sa plaque d'immatriculation. Les flics vont coincer ce type en vingt-quatre heures. Du moins, c'est ce qu'a dit le vigile. »

Y me faut à peu près deux battements de cœur pour piger. J'ai l'impression que quelqu'un vient de me balancer un coup en traître. J'ouvre la bouche, mais ça me prend un moment pour en faire sortir quelques mots.

« J'ai besoin de te dire un truc », je murmure, pas plus fort qu'un vieillard malade.

Lynn lève pas les yeux. Elle s'est déjà collée à fond dans un bouquin.

« J'ai trois chapitres à lire, Bobby. Ça ne peut pas attendre ? »

Je la regarde. Je sais que je l'ai perdue, je le sais depuis un bout de temps. Que je me fasse coincer pour avoir tailladé ces pneus empirera pas les choses, sauf peut-être à l'audience pour la garde de la petite.

« Ça peut attendre. »

Je sors sur la terrasse et je m'assois. Je sens le parfum du chèvrefeuille en bas au bord du ruisseau. C'est une jolie odeur qui à n'importe quel autre moment m'apaiserait l'esprit. Quelques grenouilles taureaux grognent mais le reste de la nuit est aussi paisible que le fond d'une mare. Y a tellement d'étoiles qu'on peut voir comment certaines semblent être passées sur un fil et dessiner des formes. Lynn les connaît, ces formes, elle les connaît par leurs noms.

« Fais un vœu si tu vois une étoile filante », disait toujours maman, même si j'en ai pas vu je réfléchis au vœu que je ferais, et ce qui me vient c'est un souvenir de Lynn, Janie et moi. Janie était bébé à l'époque et on était partis pique-niquer au bord de la rivière. C'était en avril et l'eau était encore trop haute et trop froide pour nager mais c'était pas grave. Le soleil brillait, les cornouillers commençaient à se couvrir de blancheur et on savait que la chaleur serait pour bientôt. Au bout d'un moment Janie a eu sommeil et Lynn l'a installée dans la poussette. Elle est revenue à la table de pique-nique où j'étais et elle s'est assise à côté de moi. Elle a posé sa tête sur mon épaule. « J'espère que ça sera toujours comme ça, elle a dit. S'il y avait une étoile filante, je ferais pas d'autre vœu. » Et puis elle m'a embrassé, un baiser qui en promettait davantage ce soir-là quand on aurait mis Janie au lit.

Mais y avait pas d'étoile filante cet après-midi-là et y en a pas ce soir. Tout à coup je voudrais que Janie soit ici, parce que alors je rentrerais dans la maison et je m'allongerais à côté d'elle.

Je resterais toute la nuit juste à l'écouter respirer.

T'as intérêt à t'y habituer, dit une voix dans ma tête. Y a un bon paquet de nuits en vue où elle sera pas au même endroit que toi, peut-être même dans une autre ville. Je lève les yeux vers le ciel une dernière fois mais y a rien qui file. Je ferme les paupières et respire le chèvrefeuille, je fais semblant que Janie dort tout près, que Lynn va ranger ses livres dans une minute et qu'on ira se coucher. Je me fabrique un souvenir qui va pas tarder à m'être nécessaire.

L'oiseau de malheur

Peut-être que si le travail avait été moins stressant Boyd Candler n'aurait pas entendu le hibou. Mais il ne dormait pas bien depuis un mois. Trop souvent il se retrouvait réveillé à trois ou quatre heures du matin, l'esprit préoccupé par des projets d'ingénierie des semaines en retard sur le programme, des licenciements probables en fin d'année. Et c'est ainsi que, pour la deuxième nuit de suite, Boyd écouta le cri grave et plaintif de l'oiseau. Après quelques minutes encore il se leva, sortit de la maison où sa femme et sa fille dormaient pour aller se mettre dans le bout de jardin qui bordait la propriété des Coleman. La rosée fraîche de la fin octobre mouillait ses pieds nus. Jim Coleman avait débranché son projecteur, et les autres maisons de la rue n'étaient pas éclairées à l'exception de deux ou trois lampes allumées sur les galeries. Le lotissement était calme et silencieux alors que Boyd patientait tel un homme qui, dans le cabinet d'un médecin, s'attend à un diagnostic redouté. Quelques instants après, il vint. Le hibou hulula encore du haut du chêne pourpre qui se dressait derrière la maison des Coleman, et Boyd eut la certitude absolue que si l'oiseau restait dans l'arbre une nuit de plus quelqu'un allait mourir.

Boyd Candler avait grandi au milieu de gens pour qui le monde pouvait révéler toutes sortes de choses pourvu qu'on y prête attention. Enfant, il avait regardé son grand-père, l'homme avec qui ses parents et lui vivaient, trouver un nouveau puits pour un voisin sans rien d'autre qu'une branche de frêne. Il était dans le pré du voisin alors que son grand-père allait à pas lents d'une clôture à l'autre, les extrémités de la branche fourchue tenues serrées comme des rênes, sans s'arrêter avant que la pointe oscille puis plonge vers le sol comme tirée d'un coup sec par une main invisible. Il avait regardé le vieil homme vivre sa vie « d'après les signes ». Une lune décroissante ou croissante déterminait quand faire les semailles et la moisson, tuer le cochon, couper le bois, et même le meilleur moment pour creuser un trou. Un lever de soleil rouge annonçait la pluie, tout comme le cri du coucou à bec jaune. D'autres signes, qui étaient annonciateurs d'une vie nouvelle, ou d'une vie touchant à sa fin.

Boyd avait quatorze ans lorsqu'il avait entendu l'oiseau de malheur dans les bois derrière la grange. Il y avait des mois que son grand-père était malade, mais il se rétablissait depuis peu et il avait retrouvé assez de forces pour quitter son lit et faire de courtes promenades sur l'exploitation. Le vieil homme avait également entendu le hibou, et pour lui c'était un son de Jugement dernier, tout aussi définitif que le choc sourd des mottes de terre sur son cercueil. « Il est venu me chercher », avait déclaré le vieil homme, et Boyd n'avait pas douté une minute que ce fût vrai. Trois nuits l'oiseau avait lancé son cri depuis les bois derrière la grange. Boyd se trouvait dans la chambre de son grand-père ces nuits-là, était là lorsque son grand-père avait laissé échapper sa vie et suivi l'oiseau de malheur dans l'obscurité.

Le lendemain matin au petit déjeuner, Boyd ne parla du hibou ni à sa femme ni à sa fille. Ce qui lui avait paru une certitude la nuit précédente était plus ténu à la lueur du jour. Ses pensées dévièrent vers un projet à rendre en fin de semaine.

Boyd finit sa deuxième tasse de café et jeta un coup d'œil à sa montre.

« Où est Jennifer ? demanda-t-il à sa femme. C'est notre semaine de covoiturage.

– Pas de passagère aujourd'hui. Janice a téléphoné pendant que tu étais sous la douche. Jennifer a eu plus de 38 °C tout le week-end. La fièvre n'étant pas retombée, Janice reste avec elle à la maison. »

Boyd sentit une vague d'angoisse sombre et glacée le parcourir.

« Ils sont allés voir le médecin ?

– Bien sûr.

– Et qu'a-t-il trouvé à Jennifer ?

– Un virus, c'est tout, un truc qui circule en ce moment, répondit Laura, qui, de dos, emballait le déjeuner d'Allison.

– Le médecin a-t-il dit à Janice de faire attention à autre chose ? » s'enquit Boyd.

Laura se tourna vers lui. L'expression de son visage hésitait entre la perplexité et l'agacement.

« C'est un virus, Boyd. Rien de plus.

– Je serai dehors, quand tu seras prête », dit Boyd à sa fille.

Et il sortit dans le jardin.

Le quartier lui paraissait moins familier, comme si de nombreux mois s'étaient écoulés depuis qu'il l'avait vu. Le lotissement avait été bâti dans un champ de coton. Quelques cornouillers et érables débutants avaient été plantés dans certains jardins, mais le seul grand arbre était le chêne pourpre qui poussait dans une parcelle non bâtie derrière la maison des Coleman. Boyd supposait que c'était autrefois un arbre d'ombrage, un endroit destiné aux cueilleurs de coton pour qu'ils échappent au soleil quelques minutes pendant le déjeuner et les pauses où ils se désaltéraient.

Le hibou était toujours dans le chêne. Boyd le savait parce que dans son enfance il avait entendu les anciens expliquer qu'un oiseau de malheur devait forcément se percher dans un grand arbre. C'était une des façons de le différencier d'un chat-huant ou d'une chouette effraie ordinaires. Il y avait une autre façon, c'était que l'oiseau revenait dans le même arbre, sur la même branche, chacune des trois nuits.

Sa famille était partie s'installer à Asheville peu après la mort de son grand-père. Boyd avait été un élève médiocre dans le comté de Madison, se figurant qu'il deviendrait agriculteur, mais la ferme avait été vendue, l'argent partagé entre son père et ses tantes. Au lycée d'Asheville il avait maîtrisé un nouveau genre de savoir, fait de théorèmes et de formules, un savoir où tout pouvait être expliqué jusqu'à la dernière virgule. Ses professeurs lui avaient dit qu'il devrait être ingénieur et l'avaient aidé à obtenir prêts et bourses pour qu'il puisse être le premier de sa famille à entrer à l'université. Ils l'avaient précipité dans un monde où le ciel ne comptait pas, où la terre ne vous noircissait pas les ongles, ne collait pas à vos souliers ni ne rendait vos mains calleuses, mais était vue, au mieux, derrière des vitres d'immeuble, de voiture et d'avion. Le monde hors sujet et muet. Ses professeurs avaient cru qu'il pouvait quitter le monde dans lequel il avait grandi, et peut-être qu'à son tour il les avait crus.

Boyd se souvint du matin où en cours de sociologie ils avaient regardé un film sur les traditions de la tribu des Hmong, au Laos. Après la projection le professeur avait demandé si l'on pouvait trouver ces mêmes croyances dans d'autres cultures. Boyd avait levé la main. Lorsqu'il avait fini de parler, le professeur et les autres étudiants l'avaient dévisagé, comme s'il avait un os passé dans les narines et des dents humaines pendues autour du cou. « Tu as vraiment assisté à ce genre de choses ? » avait demandé le professeur. « Oui, monsieur », avait-il répondu en sachant que son visage avait viré au cramoisi foncé. Un étudiant assis derrière lui avait ricané. « Et ce folklore, tu y crois ? » s'était enquis le professeur. « Je dis simplement que j'ai connu autrefois des gens qui y croyaient, avait précisé Boyd. Je ne parlais pas de moi. – Les superstitions ne sont rien d'autre que l'ignorance de la cause et de l'effet », avait énoncé l'étudiant derrière lui.

Rationnel. Cultivé. Éclairé. Boyd savait que les mêmes mots qu'il avait entendus des années plus tôt à la fac, la même sensibilité qui allait de pair avec ces mots primaient dans le lotissement. La plupart de ses voisins étaient des gens transplantés du Nord-Est ou du Midwest, tous des cols blancs comme lui. Ses voisins supposeraient que parce qu'on était en octobre le hibou faisait sa migration. Comme l'opossum ou le raton laveur épisodiques, le hibou ne serait pas davantage à leurs yeux qu'un peu de nature qui était parvenue à s'égarer en ville et retournerait bientôt à son environnement spécifique.

Mais Boyd se fit vraiment du souci, par intermittence, toute la matinée et tout l'après-midi. Il ne se rappelait pas que Allison ait jamais eu de la fièvre pendant trois jours. Il songea à téléphoner chez les Coleman pour prendre des nouvelles de Jennifer, mais il savait combien cela paraîtrait bizarre. Malgré le covoiturage et l'amitié de leurs filles, les relations entre les parents se bornaient à des saluts de la main et à de brefs échanges sur les heures de départ en voiture. En six ans de voisinage, les deux familles n'avaient jamais partagé un repas.

Bien que Boyd ait eu du travail et qu'en temps normal il serait resté tard au bureau pour le terminer, à dix-sept heures tapantes il déconnecta son ordinateur et rentra chez lui. Dans cinq jours ce serait Halloween, et lorsqu'il s'engagea dans le lotissement il aperçut des citrouilles aux yeux évidés posées sur les galeries et sur les marches. Une sorcière en carton à cheval sur un manche à balai se balançait à une branche d'arbre, tournant au gré du vent comme une girouette. Ailleurs, un squelette tremblotait au-dessus d'un auvent de voiture, un doigt osseux tendu comme s'il vous faisait signe. Une compétition entre voisins, en quelque sorte, que Jim Coleman appréciait particulièrement. Chaque année, Jim collait un drap blanc sur un petit char de carnaval. Il attachait son cordon en nylon à un bloc de béton, et ainsi le fantôme improvisé était suspendu au-dessus de chez les Coleman.

Il n'y avait pas eu de telles exhibitions quand Boyd était enfant, ni déguisements ni visites aux voisins pour leur soutirer des bonbons sous la menace. Peut-être parce que la ferme était tellement isolée, mais à présent Boyd soupçonnait que cela avait tenu davantage au sentiment que certaines choses ne devaient pas être tournées en ridicule, qu'autrement on s'exposait au châtiment. En passant devant une autre maison, celle-là ornée de chats noirs, il se demanda si ce châtiment était déjà arrivé, était perché dans le chêne pourpre.

La nuit était presque tombée quand il se gara dans l'allée derrière la Camry de sa femme. Par la fenêtre de la façade, il vit Allison vautrée devant le feu, Laura assise sur le canapé. La première gelée de l'année avait été annoncée pour la nuit et à la fraîcheur de l'air Boyd sut qu'il en serait ainsi.

Il s'avança sur le côté du jardin et observa la maison des Coleman. Il y avait de la lumière dans deux pièces à l'étage ainsi que dans la cuisine et la salle à manger. Les deux voitures étaient sous l'auvent. Jim Coleman avait allumé un projecteur qu'il avait installé sur le toit, et qui éclairait le fantôme surgissant au-dessus.

Boyd passa dans le jardin à l'arrière de la maison. Les feuilles du chêne pourpre accrochaient les dernières lueurs du jour. « Chatoyant », c'était le mot, songea-t-il, comme du vin rouge présenté devant la flamme d'une bougie. Il leva lentement les yeux mais ne vit pas l'oiseau. Il frappa dans ses mains, si fort que ses paumes le brûlèrent. Quelque chose de sombre s'envola de la plus haute branche, plana un instant au-dessus de l'arbre, puis revint se poser.

Au salon, Allison et ses manuels scolaires étaient étalés devant la cheminée. Quand Boyd se pencha pour l'embrasser, il sentit la chaleur du feu sur son visage. Laura, assise sur le canapé, remplissait les chèques de fin de mois.

« Comment va Jennifer ? » demanda-t-il en entrant dans la cuisine.

Laura écarta le carnet de chèques.

« Pas mieux. Janice a téléphoné pour dire qu'elle la garderait encore à la maison demain.

– Elle l'a ramenée chez le médecin ?

– Oui. Il lui a donné des antibiotiques et a fait un prélèvement de gorge. »

Allison se tordit sur elle-même pour se tourner vers Boyd.

« Il faut que tu coupes du bois ce week-end, papa. Il ne reste plus que quelques grosses bûches. »

Boyd hocha la tête et laissa son regard se poser sur le feu. Laura avait voulu passer aux fausses bûches alimentées au gaz. « Comme pour la télé qu'on allume et qu'on éteint, pas plus compliqué que ça, avait dit sa femme, et beaucoup moins salissant. » Boyd s'était élevé contre la dépense, d'autant plus que le bois qu'il coupait était gratuit. Mais ce n'était pas tout. Couper le bois, le ranger, et finalement le brûler, lui procurait du plaisir, du travail qui, contrairement à tant de choses qu'il faisait au bureau, était tangible, en quelque sorte plus réel.

Boyd fixait l'âtre lorsqu'il prit la parole :

« Je crois que Jennifer doit voir quelqu'un d'autre, en dehors d'un médecin de famille.

– Qu'est-ce qui te fait dire ça ? demanda Allison.

– C'est que je crois qu'elle est très malade.

– Mais elle ne peut pas rater Halloween ! On sera toutes les deux en fantômes.

– Comment peux-tu le savoir ? demanda Laura. Tu ne l'as même pas vue.

– Je le sais, là ! »

Laura s'apprêtait à dire quelque chose, puis elle recula.

« On verra ça plus tard. »

Il attendit que l'heure du dîner soit passée pour frapper à la porte des Coleman. Laura lui avait demandé de ne pas y aller, mais Boyd y alla tout de même. Jim Coleman ouvrit la porte. Boyd se tenait devant un homme dont il se rendit compte tout à coup qu'il ne savait pratiquement rien. Il ne savait pas combien de frères et sœurs avait Jim Coleman, dans quel genre de quartier de Chicago il avait grandi, ni s'il avait jamais tenu en main un fusil de chasse ou une binette. Il ne savait pas si dans le temps Jim Coleman avait été pratiquant, ou s'il avait toujours passé ses dimanches matin à travailler dans son garage ou dans son jardin.

« Je suis venu prendre des nouvelles de Jennifer, annonça Boyd.

– Elle dort, répondit Jim.

– J'aimerais quand même la voir, si cela ne vous dérange pas. J'ai demandé à Allison de noter ce qu'ils avaient fait en classe aujourd'hui, reprit Boyd en secouant une feuille. Elle serait vraiment très déçue que je ne lui donne pas ce papier. »

L'espace d'un instant, Boyd pensa qu'il dirait non, mais Jim Coleman s'effaça devant lui.

« Bon, eh bien entrez. »

Il le suivit dans le couloir et en haut de l'escalier jusqu'à la chambre de Jennifer. La fillette était au lit, les draps remontés jusqu'au cou. La transpiration avait emmêlé ses cheveux, changé son visage en pâleur brillante, semblable à de la porcelaine. Quelques instants plus tard, Janice se joignit à eux. Elle appuya la paume de sa main sur le front de sa fille et la laissa posée là comme si elle lui donnait une bénédiction.

« Quelle était sa température la dernière fois que vous l'avez prise ? s'enquit Boyd.

– 38,8. Ça remonte le soir.

– Et cela fait maintenant quatre jours ?

– Oui, dit Janice. Quatre jours et quatre nuits. Je l'ai laissée aller à l'école vendredi. Je n'aurais probablement pas dû. »

Boyd regarda Jennifer. Il tâcha de se mettre à la place de ses parents. Il tâcha d'imaginer quels mots pourraient relier ce qu'il avait vu dans le comté de Madison à une part de leur vécu à Chicago ou à Raleigh. Mais de tels mots n'existaient pas. Ce qu'il avait appris dans les montagnes de Caroline du Nord était intraduisible pour les Coleman.

« Je crois qu'il faut que vous l'emmeniez à l'hôpital, déclara-t-il.

– Pourtant le médecin assure que dès que les antibiotiques commenceront à agir elle ira bien, répondit Janice.

– Il faut que vous l'emmeniez à l'hôpital, dit Boyd de nouveau.

– Comment pouvez-vous le savoir ? demanda Janice. Vous n'êtes pas médecin.

– Quand j'étais petit, j'ai vu quelqu'un de malade comme ça. » Boyd hésita. « Cette personne est morte.

– Le docteur Underwood dit qu'elle ira bien, que plein de gamins ont attrapé la même chose, intervint Jim. Il l'a vue deux fois.

– Vous me faites peur, dit Janice.

– Je ne cherche pas à vous faire peur, assura Boyd. Je vous en prie, emmenez Jennifer à l'hôpital. C'est d'accord ? »

Janice se tourna vers son mari.

« Pourquoi est-ce qu'il raconte des trucs pareils ?

– Il faut vous en aller, dit Jim Coleman.

– Je vous en prie, dit Boyd. Je sais de quoi je parle.

– Allez-vous-en. Allez-vous-en maintenant », dit Jim Coleman.

Boyd repartit dans son jardin. Pendant quelques minutes, il resta planté là. Le hibou ne hulula pas, pourtant il savait qu'il était perché dans le chêne pourpre, et qu'il attendait.

« Janice vient de m'appeler et elle est prodigieusement en pétard, lui lança Laura quand il entra dans la maison. Je t'avais dit de ne pas y aller. Ils te croient atteint de troubles mentaux, peut-être même dangereux. »

Laura s'assit sur le canapé, et elle fit signe à Boyd de s'asseoir lui aussi.

« Où est Allison ? demanda-t-il.

– Je l'ai mise au lit. Tu sais, tu la chagrines tout autant que les Coleman. Tu me chagrines, moi aussi. Dis-moi ce qu'il y a, Boyd. »

Pendant une demi-heure, il tenta de s'expliquer. Quand il fut arrivé au bout, sa femme posa une main sur la sienne.

« Je sais que là où tu as grandi ces gens, des gens sans instruction, croyaient à ces sortes de choses, dit-elle. Mais tu ne vis plus dans le comté de Madison, et tu es quelqu'un d'instruit. Il y a peut-être un hibou là-derrière – je ne l'ai pas entendu, mais, je te l'accorde, il se peut qu'il y soit. De toute façon, c'est un *hibou*, rien de plus. » Elle lui pressa la main. « Je vais te prendre un rendez-vous chez le docteur Harmon. Il te prescrira de l'Ambien pour que tu dormes un peu, peut-être quelque chose d'autre contre l'anxiété. »

Plus tard ce soir-là il était au lit, attendant que le hibou hulule. Une heure passa sur les chiffres rouges du réveil et il tâcha de nourrir l'espoir que l'oiseau était parti. Il finit par s'endormir quelques minutes, assez longtemps pour rêver de son grand-père. Ils étaient dans le comté de Madison, à la ferme. Boyd était tout seul dans la pièce de devant, il attendait mais sans savoir quoi au juste. Finalement le vieil homme était sorti de sa chambre, après avoir enfilé ses brodequins et sa salopette, un grand mouchoir servant à essuyer la sueur de son front fourré dans sa poche arrière.

Le cri de l'oiseau de malheur le tira de son rêve. Boyd passa un pantalon et un sweat-shirt. Il prit une lampe-torche dans le tiroir de la cuisine et descendit à la cave chercher la tronçonneuse. La machine n'avait pas loin de quarante ans, une relique, lourde et encombrante, ses dents émoussées par des dizaines d'années d'utilisation. Mais elle fonctionnait encore assez bien pour les fournir en bois de chauffage.

Boyd remplit le réservoir de carburant, vérifia la bougie et l'huile de graissage de la chaîne. La tronçonneuse avait appartenu à son grand-père, elle avait été utilisée par le vieil homme pour abattre des arbres sur sa ferme et en faire du bois de chauffage. Boyd l'avait souvent accompagné dans les bois, il l'avait aidé à charger les rondins et le petit bois dans son pick-up cabossé. Quand la santé du vieil homme ne lui avait plus permis de s'en servir, il l'avait donnée à son petit-fils. Deux décennies avaient passé avant qu'il lui trouve une utilité. Un collègue propriétaire d'une trentaine d'arpents près de Cary lui avait offert tout le bois qu'il voulait pourvu que les arbres soient morts et qu'il les coupe lui-même.

Dehors, l'air était vif et clair. Les étoiles paraissaient plus nettes, plus proches. Une pleine lune d'un orange éclatant montait à l'ouest. Il alluma la lampe-torche et laissa son faisceau lumineux suivre les branches supérieures jusqu'à ce qu'il le voie. Quoique baigné de lumière, l'oiseau de malheur ne bougea pas. Aussi raide qu'une pierre tombale, songea Boyd. Les yeux jaunes qui ne cillaient pas regardaient fixement en direction de la maison des Coleman, et Boyd sut que c'étaient ces mêmes yeux qui s'étaient arrêtés sur son grand-père.

Il posa la lampe-torche dans l'herbe, son faisceau lumineux pointé sur le tronc du chêne pourpre. Il tira sur la corde du lanceur et dans un tremblement l'engin s'anima. Sa vibration lui secoua tout le haut du corps. Boyd s'approcha tout près de l'arbre, les bras en extension, le poids de la machine tendant ses biceps et ses avant-bras.

Les petits arbres sur le terrain de son collègue étaient tombés vite et sans difficulté. Mais il n'avait jamais abattu un arbre de la taille du chêne pourpre. Quelques éclats d'écorce volèrent quand la lame toucha l'arbre, puis elle glissa le long du tronc jusqu'à ce que Boyd l'en écarte et essaie de nouveau.

Il lui fallut huit tentatives avant de réussir à tailler les débuts d'une encoche. Il respirait difficilement, le poids de la tronçonneuse tirant sur ses bras, sur son dos, et même sur ses jambes tandis qu'il cherchait son équilibre, mais aussi celui de la machine. Il inclina la lame du mieux qu'il put pour élargir l'encoche. Le temps qu'il termine le premier côté, de la sciure et de la sueur lui piquaient les yeux. Son cœur martelait ses côtes comme s'il était en cage.

Boyd songea à se reposer une minute, mais quand il se retourna vers la maison des Coleman il y vit de la lumière. Il porta la tronçonneuse de l'autre côté du tronc. Par trois fois la lame toucha l'écorce avant d'y faire enfin une entaille. Boyd jeta un autre regard derrière lui et aperçut Jim Coleman qui traversait le jardin et venait dans sa direction, il avait la bouche ouverte et agitait les bras.

Boyd relâcha la gâchette d'accélérateur et laissa la tronçonneuse tourner au ralenti.

« Mais qu'est-ce que vous faites, bon Dieu ? hurla Jim.

– Ce qui doit être fait, répondit Boyd.

– Ma fille est malade et vous l'avez réveillée.

– Je sais. »

Jim Coleman tendit le bras comme pour lui arracher la tronçonneuse. Boyd poussa sur la gâchette et agita la lame entre eux.

« J'appelle la police ! » hurla Jim Coleman.

Laura était dehors, elle aussi. Jim Coleman et elle se parlèrent un peu avant que Jim ne rentre chez lui. Quand Laura s'approcha, Boyd lui cria de rester à l'écart. Il donna une dernière et profonde poussée dans le cœur de l'arbre. Le chêne vacilla un instant, puis s'effondra. Tandis qu'il tombait, quelque chose qui avait un bec et des ailes passa près du visage de Boyd. Il ramassa la lampe-torche et la pointa sur l'oiseau qui survolait la parcelle vide, disparaissait dans l'obscurité dont il avait été tiré. Boyd s'assit sur la souche du chêne pourpre et éteignit la lampe.

Sa femme et son voisin se tenaient l'un à côté de l'autre dans le jardin des Coleman. Ils discutaient à voix basse, comme si Boyd était un animal sauvage auquel ils ne voulaient pas révéler leur présence.

Bientôt des lumières bleues éclaboussèrent le pignon des deux maisons. D'autres voisins rejoignirent Jim Coleman et Laura. Le policier s'adressa à Laura. Elle hocha la tête une fois et, le visage trempé de larmes, se tourna vers Boyd. Le policier parla dans un talkie-walkie et puis se mit à marcher dans sa direction, les menottes cliquetant dans ses mains. Boyd se releva et tendit les bras devant lui, les deux paumes en l'air, comme un homme qui vient tout juste de libérer quelque chose.

« Waiting for the End of the World* »

On est donc quelque part entre samedi soir et dimanche matin pour ce qui est de l'heure, et moi je suis dans un bar perdu sur le bord d'une route, un cube en béton qui s'appelle La Dernière Chance, et je joue « Free Bird » pour la cinquième fois ce soir, seulement je ne pense pas à Ronnie Van Zant mais à un artiste exhumé de ma vie d'avant, Willie Yeats, et à son vers « Sûrement que quelque révélation, c'est pour bientôt ». Pourtant la seule bête brute se traînant lourdement vers moi c'est mon guitariste rythmique, Sammy Griffen, qui est à quatre pattes et se faufile dans la mêlée de tables entre les toilettes et la scène.

L'un des grands péchés des années 60 a été de faire découvrir les drogues à l'élément de la société du Sud constitué des bons petits gars de la campagne. Si vous étiez prof de psycho à Harvard, comme Timothy Leary, il est bien possible que les drogues aient accru votre état de conscience, mais elles produisent précisément l'effet contraire chez des gens tels

* « En attendant la fin du monde ».

que Sammy, ratatinant le cerveau jusqu'à un niveau reptilien d'agression et de paranoïa.

Impossible de dire ce que Sammy a sniffé ou avalé aux chiottes, mais ses pupilles se sont dilatées et sont grosses comme des pièces de dix cents. Il passe devant une table et aperçoit une jambe nue, une jambe de femme, et l'attrape. Il retire l'escarpin à haut talon qui y était attaché et se met à lécher le pied. Il faut à peu près trois secondes pour qu'un pied plus grand, coiffé d'un embout métallique, vienne lui frapper l'arrière du crâne à la manière d'un footballeur bottant une transformation. Sammy se recroqueville en position fœtale et s'évanouit au beau milieu des coques de cacahuètes et des mégots de cigarettes.

Il n'y a donc plus maintenant que mon bassiste Bobo Lingafelt, Hal Deaton, mon batteur, et moi. Je termine « Free Bird », ce qui signifie que pour les chansons suivantes le choix me revient. « Il leur faut "Free Bird" au moins une fois par heure », a dit Rodney quand il m'a engagé, et il l'a dit comme si sa clientèle était composée de diabétiques ayant besoin d'insuline. « Le reste du temps tu joues ce que tu veux », a-t-il ajouté.

Je me tourne vers Bobo et Hal, je plaque les premiers accords de « Roarin' » de Gary Stewart et ils suivent. Stewart, autrefois dénommé la « racaille blanche émissaire du diable » du honky-tonk par l'un des rares critiques ayant pris la peine de l'écouter, était l'un des génies méconnus de ce pays. Sa musique représente deux siècles d'âme appalachienne refoulée, trop intense et trop pure pour Nashville, bien qu'ils aient tout fait pour lui bourrer la cervelle de cocaïne, lui flanquer un chapeau de cow-boy sur la tête, et faire de lui un énième chanteur besogneux du berceau de la country. Stewart a passé quelques-unes de ses dernières années retranché dans un village de mobile homes : sans téléphone, n'ouvrant sa porte à personne, toutes les fenêtres de la carcasse qu'il appelait son domicile peintes en noir. Vivotant de ses droits d'auteur-compositeur, qui lui parvenaient au compte-gouttes de Nashville.

Ce style de vie a son charme, surtout ce soir alors que mon regard passe sur les épaves humaines peuplant La Dernière Chance. Un type a la tête posée sur une table, les yeux fermés, du vomi s'écoule de sa bouche. Un autre retire ses fausses dents et les referme sur l'oreille d'une nana assise à la table d'à côté. Une femme immense en survêtement violet pleure pendant qu'une autre l'engueule. Et ce que je pense, c'est qu'il est peut-être temps d'interrompre toute reproduction humaine. Que Dieu ou l'évolution ou ce qui a pu nous mettre sur terre au départ reprenne tout de zéro, parce que là ça ne marche pas.

Comme Stewart, moi aussi je vis dans un mobile home, que je dois pourtant quitter plus souvent que je ne le voudrais parce que je ne suis pas un génie de la musique mais un ex-prof de lycée de quarante ans qui doit gagner du fric, davantage que ce que je gagne comme correcteur à mi-temps pour l'hebdo local. Raison pour laquelle je suis ici de dix-neuf heures à deux heures du matin, quatre soirs par semaine, bossant au nom de Lynyrd Skynyrd, de la pension alimentaire, et pour empêcher l'huissier de s'approcher de mon pick-up.

Je ne vais pas vous raser avec les détails des postes de prof que j'ai perdus, de la femme que j'ai perdue, de l'enfant que j'ai perdu. Des erreurs ont été commises, comme disent les politicards. Le dernier principal qui m'a employé s'est arrangé pour que je ne puisse pas décrocher un seul boulot d'enseignant au nord de la forêt tropicale amazonienne. Mon ex-femme et mon gamin sont en Californie. Tout ce que je suis pour eux c'est une enveloppe avec un chèque à l'intérieur.

Au-delà des tables peuplées d'épaves humaines, j'aperçois Hubert McClain assis au bar, une bière dans une main et une Louisville Slugger dans l'autre. Hubert est notre videur, cent treize kilos de violence celtique atavique lovée sur elle-même et prête à se manifester. Sur le devant de la casquette de base-ball qui couvre sa boule à zéro de survivaliste, un squelette à l'air vicelard agite une faux dans une main et un drapeau à damier dans l'autre. Le symbolisme n'est pas clair, sauf que quiconque portant ce genre de casquette, surtout s'il tient une batte de base-ball d'un kilo, n'est pas quelqu'un que l'on a envie de contrarier.

Assis à côté d'Hubert il y a son meilleur pote, Joe Don Byers, officiellement Yusef Byers avant qu'il fasse légalement changer son prénom. Alors qu'apparemment tous les Blancs de sexe masculin entre quatorze et vingt-cinq ans cherchent à imiter l'allure et le comportement des Noirs, Joe Don fait la démarche inverse – un Noir de vingt-trois ans s'appliquant à être un bon petit gars du Sud profond qui chique du Skoal et écoute de la musique country. Mais comme les mômes blancs avec leur casquette à l'envers et le pantalon qui leur pend au cul, Joe Don n'arrive pas vraiment à tromper son monde. La boucle de ceinture de la taille d'un enjoliveur et les bottes en peau de serpent, passe encore, mais il porte son Stetson rabattu sur l'œil droit, l'inclinaison canaille lui donnant davantage l'allure d'un marle travesti que celle d'un cow-boy. Son pick-up le trahit aussi, un Toyota à deux roues motrices, quatre pneus boue et un autocollant Dale Earnhardt sur le pare-brise arrière, alors que tout fan de Earnhardt qui se respecte préférerait encore circuler en tondeuse à gazon plutôt que conduire autre chose qu'un Chevy.

De l'autre côté du bar, Rodney prend tout ce qu'on lui tend – billets froissés, poignées de petite monnaie, chèques de paie, alliances, montres-bracelets. Un jour un type a proposé un plombage en or qu'il avait retiré de sa bouche avec un canif, Rodney n'a même pas cillé.

À le regarder faire, il est facile de croire que Rodney n'est qu'une simple version mise à jour de Flem Snopes*, le genre de type qui commence à se lancer dans les affaires en montrant des photos de sa sœur à poil à ses copains de collège. Mais ce n'est pas du tout ça. Rodney est sorti de l'Université de Caroline du Sud avec un diplôme de travailleur social. Il voulait rendre le monde meilleur, mais, à l'en croire, le monde n'était pas intéressé.

Sa carrière de travailleur social s'est terminée la semaine même où elle a débuté. Rodney avait emprunté un autocar paroissial pour emmener quelques jeunes défavorisés de Columbia à un match des Braves. À mi-chemin sur la route d'Atlanta, les ados se sont mutinés. Ils ont frappé Rodney à coups de démonte-pneu, pris son argent et ses vêtements, et

* Le métayer combinard, héros du roman de William Faulkner, *Le Hameau*.

l'ont laissé nu et en sang dans un fossé. Une semaine plus tard, le jour même où Rodney est sorti de l'hôpital, l'autocar a été retrouvé à demi immergé dans les marais d'Okefenokee. Il a fallu encore un mois avant de regrouper les gamins, dont plusieurs avaient obtenu des emplois de base dans un cartel de la drogue de Miami.

Rodney assure que tenir La Dernière Chance est un manifeste philosophique. Au-dessus de la caisse il a placardé un de ces autocollants darwiniens où l'on voit un poisson en silhouette pourvu de quatre pattes en train de pousser. Rodney a dessiné une bulle de dialogue devant la gueule de la bestiole. « Exterminez les brutes », dit le poisson.

Un conseil que Rodney semble avoir pris à cœur. Il n'y a qu'un seul cocktail à La Dernière Chance, qu'il appelle le Terminator. Il est composé d'un tiers de Jack Daniel's, d'un tiers de whisky distillé en fraude dans le comté de Surrey, et d'un tiers de jus de tomate Sam's Choice. Certains clients prétendent qu'un trait d'essence à briquet s'y ajoute pour faire bonne mesure. Personne, pas même Hubert, n'en a jamais bu plus de trois et pu rester debout. En général deux suffisent pour fiche les buveurs par terre, du jus de tomate leur dégoulinant sur le menton comme s'ils avaient pris une balle dans la bouche.

Quand nous terminons « Roarin' » seules trois ou quatre personnes applaudissent. Le plus gros de la troupe ne connaît pas la chanson ni ne sait, d'ailleurs, qui était Gary Stewart. MTV les a tellement anesthésiés qu'ils sont incapables de reconnaître ce qui est authentique, même quand ça vient de leur patrimoine génétique.

D'ailleurs, en parlant de patrimoine génétique, j'aperçois tout à coup Everette Evans, le type qui, à mon immense regret, est pour vingt-cinq pour cent dans la constitution génétique de mon fils. Il se tient dans l'embrasure de la porte, un caméscope dans les mains. Everette s'attarde sur Hubert quelques secondes, puis sur les diverses victimes de la soirée avant de finir par le braquer sur moi.

Je pose ma guitare et me dirige vers l'entrée. Everette continue de filmer jusqu'à ce que je sois carrément sous son nez. D'une secousse, il descend la caméra à hauteur de ceinture et la pointe comme si c'était une Uzi.

« Qu'est-ce que tu fabriques, Everette ? » je demande.

Il me sourit, encore que ce soit un de ces sourires qui sont moitié méchanceté moitié nervosité, genre politicien à qui l'on demande de justifier les cent mille dollars en petites coupures récemment déposés à la banque.

« Nous réunissons quelques preuves supplémentaires relatives à ton aptitude à la fonction parentale.

– Je vois pas de *nous*. Rien qu'un imbécile de fouille-merde qui, s'il en avait encore un, mériterait de se faire botter le cul.

– T'avise pas de me menacer, Devon, il dit, Everette. Je pourrais rallumer ce caméscope et réunir davantage de preuves compromettantes.

– Et moi je pourrais le prendre et m'en servir pour te faire une coloscopie. Ta fille a pas l'air de se gêner pour dépenser le fric que je gagne ici.

– Y a un problème, Devon ? demande Hubert, qui arrive du bar.

– Ce type-là travaille pour *National Geographic*. Ils font une émission sur les sociétés primitives, et d'après eux les gens comme nous sont le chaînon manquant entre les singes et les humains.

– C'est un mensonge, dit Everette, les yeux sur la batte de base-ball de Hubert.

– Et ce n'est qu'une partie de ce à quoi cette séquence est destinée. Ce connard vend ce que *Geographic* ne lui prend pas aux culs-bénits de Moral Majority. Ils fermeront ce lieu comme si c'était une décharge de déchets toxiques.

– C'est interdit de filmer ici», dit Hubert en prenant le caméscope des mains d'Everette.

D'une secousse, Hubert éjecte la cassette et l'inonde de la moitié restante du Terminator qu'il sirotait. Il gratte une allumette et laisse tomber la cassette par terre. En cinq secondes, elle ressemble à de la Jell-O noire.

Everette commence à sortir à reculons.

«Nous n'avons pas dit notre dernier mot, Devon.»

Rodney tire un mégaphone de sous le bar et annonce qu'il est une heure quarante-cinq et que si quelqu'un veut un dernier verre, c'est le moment de venir le chercher. Il y a peu d'amateurs, la plupart des clients manquant à présent d'argent ou de lucidité. J'envisage de terminer par «Graveyard Shift» de Steve Earle et «A Thousand Miles from Nowhere» de Dwight Yoakam, mais le poivrot qui pendant la dernière heure a pris une flaque de vomi pour oreiller lève la tête. Il sort à tâtons un briquet de sa poche et l'allume.

«"Free Bird"», grogne-t-il avant de reposer sa tête dans le vomi.

Et je me dis: Pourquoi pas. Ronnie Van Zant n'avait pas le talent de Gary Stewart ni de Steve Earle ou de Dwight

Yoakam, mais il a fait ce qu'il a pu avec ce qu'il avait. Les Skynyrd n'ont jamais taillé dans leurs racines musicales du Sud pour gagner en « séduction nationale », ce qui a donné à leur musique, quels que soient ses autres défauts, de la sincérité et du mordant.

Alors je sors le bottleneck de la poche de mon jean et commence ce long solo plaintif probablement pour la millionième fois de ma vie. Je suis sur pilote automatique, laisse mes doigts s'occuper de tout pendant que mon esprit vagabonde ailleurs.

Des têtes posées sur les tables se relèvent et me fixent du regard. Des conversations s'interrompent. Des couples qui s'engueulaient ou se pelotaient marquent une pause, eux aussi. Et c'est toujours pareil, comme si Van Zant avait pour ainsi dire découvert un conduit pénétrant dans l'inconscient collectif de sa race. Toujours est-il qu'ils deviennent graves et pensifs. Ce n'est peut-être que l'élaboration lente et puissante de la musique. Ou peut-être quelque chose de plus – une aspiration pour le genre de liberté à laquelle font allusion les paroles de Van Zant, une reconnaissance du besoin qu'ont les hommes de déposer leur fardeau. Et peut-être, pendant quelques instants, d'être suffisamment reliés à la musique et aux paroles pour se sentir débarrassés de leurs chaînes, libres et en vol.

Au moment où je termine « Free Bird », Rodney allume toutes les lampes du bâtiment, y compris des phares longue portée de tracteur John Deere qu'il a montés au plafond. On dirait la dernière scène d'un film de vampires. Les gens se mettent à gémir et à se lamenter. Ils se couvrent les yeux, rampent sous les tables, et finalement – c'est le but de l'opération – filent vers la porte et sortent dans le noir, en traînant avec eux les ivres morts et les sonnés.

J'ai fini mon service, mais je ne lâche pas ma guitare et ne débranche pas l'ampli. Non, je joue les premiers accords de « Waiting for the End of the World ». Ces temps-ci, Elvis Costello s'efforce d'être le second avènement de Perry Como, mais ses deux premiers albums étaient de la colère et de la douleur à l'état pur. Les premières nuits qui ont suivi le départ de ma femme et de mon gamin, j'ai écouté Costello et ça m'a aidé. Pas beaucoup, mais au moins un petit peu.

Hal est drapé sur sa batterie, totalement cuit, et Bobo va pour sortir en compagnie de la grande femme en survêtement violet. Sammy est toujours par terre, je vole donc en solo.

Je ne me souviens pas de toutes les paroles, alors à part pour le refrain c'est comme si je parlais de nouvelles langues, mais il est deux heures du matin dans l'ouest de la Caroline et il n'y a pas grand-chose qui ait du sens. Tout ce qu'on peut faire c'est prendre sa guitare et jouer. Et c'est ce que je suis en train de faire. J'envoie quelques méchants riffs à la guitare, et j'ai beau ne pas être un grand chanteur je me donne à fond, et La Dernière Chance a beau maintenant être quasiment vide ça va aussi parce que je mêle le primitif et l'existentiel et j'ai tellement poussé le volume que les bouteilles de bière vides tombent des tables à force de vibrations et les phares de tracteur palpitent comme des lumières stroboscopiques et quelle que soit la bête brute qui dort dehors dans le noir pour elle l'heure du réveil sonne et moi je suis prêt et j'attends de voir ce qu'elle me réserve.

*Lincolnites**

Lily était assise sur la galerie, la journée de labour terminée et son bébé d'un an endormi dans son berceau. Dans ses mains, les longues aiguilles en acier cliquetaient l'une contre l'autre et s'écartaient en une passe d'armes rythmée tandis que le fil à tricoter sortait en se dévidant lentement de la grande poche de sa robe à carreaux, s'ajoutait au dessus-de-lit drapé sur ses genoux. Hormis un coup d'œil de temps à autre dans la vallée, Lily gardait les yeux fermés. Elle humait l'arôme de la terre fraîchement retournée et des fleurs de cornouillers. Elle écoutait les abeilles bourdonnant autour de leur ruche. Comme les papillonnements qu'elle avait commencé à sentir dans son ventre, tout témoignait du retour de la vie après un rude hiver. Lily repensa au journal de Washington qu'avait rapporté Ethan lorsqu'il était rentré du Tennessee pour sa permission de Noël, annonçant que la guerre serait terminée l'été venu. Ethan avait cru même encore plus tôt, et soutenu que dès que les routes seraient

* Partisans d'Abraham Lincoln et de sa politique, ayant pris le parti du Nord pendant la guerre de Sécession.

praticables Grant prendrait Richmond et qu'on n'en parlerait plus. « C'est comme si c'était terminé », lui avait-il dit, mais il avait quand même dormi dans le cellier à légumes toutes les nuits de sa permission et n'était pas sorti de la maison pendant la journée, son havresac et son fusil posés à côté de la porte de derrière, parce que des soldats confédérés remontaient la vallée depuis Boone à la recherche de partisans de Lincoln tels que lui.

Elle sentit la lumière de l'après-midi sur son visage, aussi apaisante que le bourdonnement des abeilles. C'était bon d'être enfin assise, ses mains étant seules à travailler, l'enfant qu'elle avait installé à l'ombre pendant qu'elle labourait maintenant allaité et endormi. Après quelques minutes encore, Lily permit à ses mains de se reposer à leur tour, en plaçant les longues aiguilles en travers sur ses genoux. Il y a bien de quoi être fatiguée, se dit-elle, une journée à retourner la terre avec un araire et un cheval de trait. Le petit ne tarderait pas à se réveiller et elle devrait lui redonner le sein, et puis aussi se préparer de quoi manger. Ensuite il faudrait qu'elle nourrisse les poules et aille cacher le cheval dans les bois au-dessus de la source. Lily sentit de nouveau le papillonnement tout au fond de son ventre, consciente que c'était une autre cause de sa fatigue. Elle posa une main sur son abdomen et en sentit la légère courbure. Elle compta les mois depuis la permission d'Ethan et se dit qu'elle arrondirait la toile épaisse de sa robe dans un mois de temps.

Lily regarda dans la vallée l'endroit où l'ancienne route à péage de Boone courait le long de Middlefork Creek. Ses yeux se fermèrent une fois encore tandis qu'elle réfléchissait à des noms pour l'enfant à naître, en se disant que c'était aussi son anniversaire en septembre et qu'à cette date Ethan serait rentré à la maison pour de bon et qu'ils formeraient de nouveau une famille, tous les deux étant assez jeunes pour ne pas être brisés par les épreuves des deux années passées. Dans sa tête Lily imagina Ethan, elle et les petits tous ensemble, ses cultures mûres et fières dans le champ, les branches du pommier croulant sous les fruits.

Lorsqu'elle ouvrit les yeux, le confédéré était dans la cour. Il avait dû se dire qu'elle surveillerait la route car il avait choisi de descendre de Goshen Mountain, émergeant d'un épais bosquet de bouleaux qu'il avait suivi en longeant le ruisseau. Il était trop tard pour cacher le cheval et rassembler les poules dans le cellier à légumes, trop tard pour aller chercher le grand couteau de cuisine et le dissimuler dans la poche de sa robe, alors Lily regarda simplement l'homme qui approchait, un mousquet dans la main droite et un sac en toile dans la gauche. Il portait une tunique bise élimée et une casquette. Une lanière de cuir retenait un pantalon en drap loqueteux. Seuls les brodequins paraissaient neufs. Lily connaissait celui à qui avaient appartenu ces brodequins, et elle connaissait le noyer blanc où ils avaient laissé le reste de cet homme se balancer, avec une corde autour du cou mais aussi un bardeau de cèdre sur lequel le mot *Lincolnite* était brûlé dans le bois.

Le confédéré sourit en entrant dans la cour. Il porta index et pouce à la casquette, mais ses yeux étaient posés sur les poules qui grattaient le sol en quête de vers de terre derrière la grange, sur le cheval dans le pré. Il paraissait la quarantaine, quoique par les temps qui couraient les gens faisaient souvent plus vieux que leur âge, même les enfants.

Le confédéré portait sa casquette très en arrière – son visage bruni avait la teinte du tabac séché. Pas comme un fermier porterait un chapeau ou une casquette. Le visage hâve et le pantalon trop grand indiquaient clairement à quoi était destiné le sac. Lily espéra que deux poules lui conviendraient, mais les brodequins ne la rassurèrent pas.

« Bonjour, dit-il en laissant son regard se poser sur Lily un court instant avant de se tourner à l'ouest vers Grandfather Mountain. On dirait bien qu'on aura de la pluie, peut-être à la nuit noire.

– Prenez les poules que vous voulez, dit Lily. Je vous aiderai à les attraper.

– J'y compte bien. »

L'homme leva l'avant-bras gauche et essuya la sueur de son front, le sac en toile couvrant un bref instant son visage. Lorsqu'il abaissa le bras, son sourire avait fait place à une apparente gravité.

« Mais il est aussi de mon devoir de réquisitionner ce cheval de trait pour la cause.

– Pour la cause, répéta Lily en croisant son regard, comme ces brodequins que vous portez. »

Le confédéré posa un brodequin sur la marche de la galerie comme pour mieux l'examiner.

« Ces brodequins, ils ont pas été réquisitionnés. J'ai troqué ma meilleure corde pour les avoir – mais j'ai comme l'impression que ça tu le sais déjà. » Il leva les yeux et regarda Lily. « Ton voisin, là, il était pas aussi prudent que ton mari pendant sa permission. »

Lily observa attentivement le visage de l'homme, quelque chose de familier derrière la barbe en bataille et le regard dur et résolu. Elle repensa au temps où un homme ou une femme de ces montagnes pouvaient descendre à Boone. Au temps où un désaccord sur ce que les politiciens faisaient là-bas à Raleigh serait réglé dans ce comté avec, au pire, des poings serrés.

« Vous travailliez au bazar chez le vieux Mast autrefois, pas vrai ? dit Lily.

– Oui.

– Papa faisait du troc avec vous. Un jour que j'étais avec lui vous nous avez donné, à ma sœur et à moi, une pastille de menthe. »

Les yeux de l'homme ne s'adoucirent pas, mais quelque chose sur son visage parut se relâcher un peu, rien qu'un instant.

« Ça plaisait pas au patron, mais c'était rien qu'un petit geste pour les mioches. »

Pendant quelques instants il ne dit rien de plus, repensant peut-être à ce temps-là, peut-être pas.

« Votre nom c'était M. Vaughn. Ça me revient maintenant. »

Le confédéré hocha la tête.

« C'est toujours le même, mon nom. Vaughn, je veux dire. » Il marqua un temps. « Mais là tout de suite, ça change pourtant rien, non ?

– Non, répondit Lily. Je suppose que non.

– Alors je vais prendre le cheval, sauf si t'as autre chose à échanger contre. Peut-être un peu de l'argent yankee qu'on donne à ton homme là-bas dans le Tennessee ? Peut-être bien qu'on pourrait s'entendre sur une somme.

– Y a pas un sou ici », dit Lily.

Et c'était la vérité parce que le peu d'argent en leur possession elle l'avait cousu dans la doublure du manteau d'Ethan. « Il est mieux là que n'importe où ailleurs sur la ferme », avait-elle affirmé à Ethan avant son départ, mais il avait accepté seulement après qu'elle eut aussi cousu son nom et où renvoyer son corps sur une poche du manteau. Le grand frère d'Ethan avait fait pareil, tous les deux jurant de rapporter le manteau de l'autre chez lui, à défaut de son corps.

« Je ferais bien de m'y mettre, dit Vaughn, si je veux être rentré à Boone avant la pluie. »

Il lui tourna le dos et s'avançait vers le pré en sifflant « Dixie » quand, alors qu'il était presque arrivé à la clôture en lisses demi-rondes, Lily lui annonça qu'elle avait quelque chose à échanger contre le cheval.

« Et quoi donc ? » demanda Vaughn.

Lily ôta la pelote de fil à tricoter de ses genoux et la posa sur l'épais plancher raboté de la galerie, puis mit aussi le dessus-de-lit à moitié terminé par terre. Lorsqu'elle quitta son fauteuil, ses mains lissèrent le tissu à carreaux sur ses hanches. Elle s'avança jusqu'au bord de la galerie et dénoua sa tresse pour laisser tomber ses cheveux blonds sur son cou et ses épaules.

« Vous me comprenez bien. »

Vaughn monta sur la galerie, sans souffler mot. Pour la regarder de la tête aux pieds, Lily le savait. Elle rentra un peu le ventre pour cacher son état, encore qu'il trouverait peut-être ça meilleur s'il savait qu'elle était enceinte. Un homme pouvait penser ainsi par les temps qui couraient, se dit-elle. Lily observa Vaughn retourner dans sa tête les choix possibles, y compris celui qu'il avait certainement fini par considérer, qu'il pouvait aussi bien les avoir tous deux, elle et le cheval.

« Quel âge tu as ? demanda-t-il.

– Dix-neuf ans.

– Dix-neuf ans », dit Vaughn.

Mais si cela plaidait ou non en sa faveur, elle l'ignorait.

Il regarda encore à l'ouest vers Grandfather Mountain et inspecta le ciel avant de jeter un coup d'œil à la route à péage dans la vallée.

« D'accord », finit-il par dire, et d'un signe de tête il montra la porte. « On va entrer là, toi et moi.

– Pas dans la maison. Il y a mon petit. »

Pendant un instant elle crut que Vaughn allait insister, mais il n'en fit rien.

« Où ça, alors ?

– Dans le cellier à légumes. Il y a un grabat où on pourra s'étendre. »

Vaughn releva le menton, ses yeux parurent se fixer sur quelque chose derrière Lily et le fauteuil.

« Eh ben, on saura où le chercher ton homme la prochaine fois, pas vrai ? »

Comme Lily ne répondait pas, Vaughn fit un sourire qui parut presque amical.

« Passe devant », dit-il.

Il la suivit derrière la maison, au-delà de la ruche, du billot et de l'ancien cellier à légumes, celui dont ils s'étaient servis avant la guerre. Ils prirent à travers un taillis de rhododendrons un sentier à peine visible, jusqu'à ce qu'il se termine brusquement contre le flanc d'une colline. Lily retira les branches de rhododendron aux feuilles vertes qu'elle remplaçait chaque semaine et tira le loquet d'une porte en bois carrée. Les gonds grincèrent et l'entrée s'ouvrit dans un bâillement, l'odeur de terre humide du cellier se mêlant au parfum des fleurs de cornouillers. Le soleil de l'après-midi laissa voir un sol en terre tapissé de bocaux de légumes et de pots de miel, au milieu un grabat et une courtepointe. Il n'y avait pas de marches, rien qu'une brusque chute d'un mètre.

« Et tu me crois assez bête pour descendre là-dedans le premier ? dit Vaughn.

– Je vais y aller la première », répondit Lily, qui s'assit à l'entrée et laissa pendre un pied jusqu'à ce qu'il touche la terre tassée.

Elle se retint au chambranle et se laissa glisser à l'intérieur, ramassée sur elle-même, en s'efforçant de ne pas penser qu'elle entrait peut-être dans sa tombe. Les spathes de maïs crissèrent sous elle tandis qu'elle s'installait sur le grabat.

« On pourrait faire ça aussi bien en haut, remarqua Vaughn, qui la regardait depuis l'entrée. Ça vaut pas mieux qu'un trou d'araignée.

– J'vais pas aller me salir en me traînant par terre », dit Lily.

Elle pensait qu'il laisserait le mousquet dehors, mais Vaughn fléchit les genoux et se pencha en avant, posa sa main gauche sur une poutre. Au moment où il changeait de position pour entrer, Lily sortit les aiguilles métalliques de la poche de sa robe et les posa derrière elle.

Vaughn appuya son arme contre la paroi en terre et se courba pour ôter son manteau et dénouer la bande de cuir ceignant son pantalon. Le soleil donnait à son visage un aspect sombre et sans traits, comme en silhouette. Quand il s'approcha, Lily se poussa sur la gauche du matelas pour lui faire de la place. Elle sentit l'odeur du tabac dans son haleine au moment où il remontait sa chemise sur sa poitrine et s'allongeait sur le dos, ses doigts tâtonnant déjà pour libérer les boutons du pantalon. Son ventre creux était si blanc comparé à son visage et à ses vêtements ternes qu'il semblait luire dans la clarté diffuse. Lily empoigna une des aiguilles à tricoter. Elle pensa au cochon qu'elle avait tué en janvier, se souvint comment le foie s'enroulait autour de l'estomac, à la façon d'une selle. « Pas grande différence entre les entrailles d'un cochon et celles d'un homme », avait-elle entendu dire un jour.

« Ôte-moi cette robe ou relève-la, dit Vaughn, les doigts posés sur le dernier bouton. J'ai pas le temps de lambiner.

– D'accord », dit Lily en retroussant le bas de sa robe avant de se mettre à genoux à côté de lui.

Elle tendit le bras derrière elle et attrapa l'aiguille à tricoter. Lorsque Vaughn glissa ses pouces entre le tissu et ses hanches pour baisser son pantalon, Lily leva le bras droit et tomba en avant, la paume de sa main gauche posée sur la tige arrondie de l'aiguille à tricoter pour qu'elle ne lui file pas entre les doigts. Elle plongea l'acier aussi profond qu'elle put. Quand l'aiguille buta un instant sur l'épine dorsale, Lily poussa plus fort et la pointe passa en raclant au-delà de l'os, finit de tout traverser. Lily sentit la peau lisse du ventre de Vaughn et aplatit ses deux paumes sur l'aiguille à tricoter. Cloue-le au sol si tu peux, se dit-elle en expulsant l'air du ventre de Vaughn au moment où la pointe de l'aiguille perçait la terre tassée du cellier.

Les mains de Vaughn restèrent un moment de plus sur son pantalon, comme si elles n'avaient pas encore compris ce qui s'était passé. Lily se précipita vers l'entrée tandis qu'il remuait les avant-bras et relevait lentement la tête. Il fixa des yeux la tige ronde de l'aiguille à tricoter enfoncée dans sa chair à la façon d'un bouton mal placé. Ses jambes se replièrent vers ses hanches, mais il semblait incapable de bouger le milieu du corps, à croire que l'aiguille l'avait bel et bien cloué au sol.

Lily prit le mousquet et le posa à l'extérieur, puis se hissa hors du trou alors que Vaughn laissait échapper un long mugissement plaintif. Elle le surveilla d'en haut, attendant de voir s'il fallait qu'elle comprenne comment se servir de cette arme. Après pas loin d'une minute, la bouche de Vaughn grimaça, ses dents se refermant comme celles d'un chien qui déchiquette de la viande. Il se poussa en arrière sur les avant-bras jusqu'à ce qu'il puisse laisser aller sa tête et ses épaules contre la paroi en terre. Lily entendait sa respiration et voyait se soulever sa poitrine. Ses yeux bougèrent, se tournèrent vers elle. Lily ne savait pas si Vaughn la voyait pour de bon. Il éleva la main droite à quelques centimètres au-dessus du sol, la paume vers le haut, tout en tendant le bras vers l'entrée du cellier, comme pour attraper le peu de lumière qui filtrait depuis le monde extérieur. Lily referma la porte et poussa le loquet, recouvrit l'entrée avec les branches de rhododendron avant de retourner à la petite maison.

L'enfant était réveillé et geignait. Lily s'approcha du berceau, mais avant de prendre le petit garçon dans ses bras elle rabattit le matelas et sortit le couteau de cuisine, le glissa dans la poche de sa robe. Elle fit téter l'enfant et se prépara ensuite un dîner de pain de maïs et de haricots. Tout en mangeant, elle se demanda si à Boone le confédéré avait dit à quelqu'un où il allait. Peut-être, mais probablement qu'il n'aurait pas précisé dans quelle ferme, qu'il ne l'aurait pas su jusqu'à ce qu'il trouve quelque chose à prendre. Songe donc à autre chose, se dit-elle, et elle se remit à réfléchir à des prénoms pour l'enfant à naître. Des noms de fille, car Grand-mère Tripplett avait déjà frotté le ventre de Lily et annoncé que cette fois-ci ce serait une fille. Lily dit à haute voix ceux auxquels elle avait pensé et s'arrêta de nouveau sur Mary, parce qu'il serait assorti au prénom de son garçon.

Après avoir débarrassé la table et changé les langes du petit, Lily le déposa dans son berceau et sortit, jetant à la volée du maïs égrené aux poules avant de retraverser les rhododendrons pour aller au cellier. Il y avait moins de lumière à présent, et lorsqu'elle regarda entre les lattes de la porte elle y vit juste assez pour distinguer le corps de Vaughn affaissé contre la paroi en terre. Elle guetta plusieurs minutes le moindre signe de mouvement, tendit l'oreille pour entendre un gémissement, un soupir, l'exhalation d'un souffle. Enfin elle tira le loquet. Elle ouvrit la porte centimètre par centimètre jusqu'à ce qu'elle y voie bien. Le menton de Vaughn reposait sur sa poitrine, ses jambes écartées. L'aiguille à tricoter était toujours plantée dans son ventre, tout aussi profond qu'avant. Son visage était maintenant aussi blanc que son ventre, et paraissait décoloré. Lily referma la porte en silence et repoussa doucement le loquet, comme si un bruit risquait de faire revenir Vaughn à la vie dans un sursaut. Elle ramassa les branches de rhododendron et dissimula l'entrée.

Elle s'assit sur la galerie avec l'enfant et regarda l'obscurité s'installer dans la vallée. Une dernière hirondelle rustique vola bas au-dessus du pré et entra dans la grange au moment où les premières gouttes de pluie commençaient à tomber, d'abord douces et hésitantes, puis moins. Lily rentra dans la maison, en emportant le dessus-de-lit et le fil à tricoter. Elle alluma la lampe et allaita l'enfant une dernière fois puis le reposa dans son berceau. Le feu du dîner couvait encore dans l'âtre, offrant un peu de chaleur contre la fraîcheur du soir. C'était l'heure où d'habitude elle tricotait encore un moment, mais, dans l'incapacité de le faire ce soir-là, elle sortit le journal de sous le matelas et s'assit à la table. Elle relut l'article parlant de la guerre qui serait terminée l'été venu, en butant sur quelques mots qu'elle ne connaissait pas. Lorsqu'elle arriva au mot « Abraham », elle jeta un coup d'œil au berceau. Plus très longtemps avant que je puisse l'appeler par son prénom devant tout le monde, se dit-elle.

Au bout d'un petit moment, elle remit le journal dans sa cachette et se coucha. La pluie tombait sans interruption sur les bardeaux de cèdre de la maison, à présent. Le petit respirait paisiblement dans le berceau posé à côté du lit. Tombe à verse, songea-t-elle, en pensant à ce qu'elle planterait en premier lorsqu'il ferait jour. C'était bien malheureux que ce soit arrivé, mais il y avait là une certaine chance, aussi. Au moins ce n'était pas l'hiver, quand le sol est dur comme du granit. Elle pourrait avoir fini à midi, surtout après une très grosse pluie, et prendre ensuite un peu de repos avant d'accomplir ses tâches ménagères, peut-être même trouver le temps de semer des tomates et des courges avant le dîner.

Remerciements

Merci à mon éditeur, Lee Boudreaux, et à mon agent, Marly Rusoff. Merci également à Abigail Holstein, à Mihail Rădulescu, à la Western Carolina University, et à ma famille.

Table

I

II